LES RECLUSES

DU MÊME AUTEUR

Aux éditions Théâtrales

LA DAME DU CAFÉ D'EN FACE/JAZ, *1998*
(nouvelle édition de JAZ in LE SAS/JAZ/ANDRÉ, Monologues pour femmes, *2008*)

BIG SHOOT/P'TITE-SOUILLURE, *2000*

LE MASQUE BOITEUX, Histoires de soldats, *2003*

MISTERIOSO-119/BLUE-S-CAT, *2005*

BRASSERIE, *2006*

LES CRÉANCIERS, in 25 PETITES PIÈCES D'AUTEURS, *2007*

Chez d'autres éditeurs

CETTE VIEILLE MAGIE NOIRE, éditions Lansman, *1993*

BINTOU, éditions Lansman, *1997*

... ET SON PETIT AMI L'APPELAIT SAMIAGAMAL, in *Brèves d'ailleurs*,
Actes Sud-Papiers, *1997*

IL NOUS FAUT L'AMÉRIQUE!, éditions Acoria, *1997*

FAMA, éditions Lansman, *1998*

LES CRÉANCIERS, in *Voci Migranti*, Lunaria, Rome, *2000*

VILLAGE FOU OU LES DÉCONNARDS, éditions Acoria, *2000*

EL MONA, in *Liban, écrits nomades 1*, éditions Lansman, *2001*

UNE SI PAISIBLE JOLIE PETITE VILLE, in *Théâtres en Bretagne* n° 10, *2001*

CES GENS-LÀ, in *Siècle 21* n° 2, *2003*

SCAT, in *Cinq petites comédies pour une Comédie*,
éditions Lansman, *2003*

GOLDENGIRLS, in *Théâtre/Public* n° 169-170, *2003*

BABYFACE, Gallimard, *2006*

AVE MARIA, éditions Lansman, *2008*

LA MÉLANCOLIE DES BARBARES, éditions Lansman,
coll. « Urgence de la jeune parole », *2009*

MONSIEUR KI, Gallimard, *2010*

KOFFI
KWAHULÉ

LES RECLUSES

OUVRAGE PUBLIÉ
AVEC LE CONCOURS DU CENTRE NATIONAL DU LIVRE

éditions
THÉÂTRALES

La collection RÉPERTOIRE CONTEMPORAIN vise à découvrir les écrivains d'aujourd'hui et de demain qui façonnent le terreau littéraire du théâtre contemporain et à les accompagner dans leurs recherches. Pour proposer des textes à lire et à jouer.

© 2010, éditions THÉÂTRALES,
20, rue Voltaire, 93100 Montreuil-sous-Bois.

ISBN : 978-2-84260-390-8 • ISSN : 1760-2947

Photos de couverture : © D. R. (haut), Christopher Lowden (bas).

Pour Judith Miller

« Nous portons le masque à des fins d'agression
autant que de défense,
quand il s'agit de nous projeter dans l'avenir
ou de préserver le passé. »

Ralph Ellison

Il est souhaitable que tous les personnages, y compris les personnages masculins, soient tenus par des femmes.

1. CACHE-CACHE

En ombre chinoise, Kaniosha et Nzéyimana se livrent à un jeu de séduction.

Kaniosha, mon soleil…

Nzéyimana, ma joie…

Les corps du jeune homme et de la jeune femme se rapprochent, s'éloignent, s'attirent, s'effleurent, à un souffle… C'est un véritable ballet que dessinent sur la toile les deux corps. Deux corps tendus l'un vers l'autre, mais sans jamais se toucher ; à chaque fois, au moment crucial, Kaniosha se dérobe au baiser de Nzéyimana.

Pourquoi Kaniosha ?

Pas maintenant.
Après le mariage.

3">3

2. JEUX

Entre Recluses.

NAHIMA.– Bon, celui qui est parti et qui n'est jamais arrivé est revenu. Une semaine qu'il est revenu. Il dit qu'il est revenu pour nous.

KANIOSHA.– Je l'ai appris.
Il n'a pas demandé après moi ?

AGNÈSI.– Non.

KANIOSHA.– C'est pour me cacher que
je ne suis pas venue me joindre à vous.
Il est fâché ?

KAMEGUÉ.– Il comprend, tu sais. Il dit, l'essentiel c'est que vous en parliez. À moi ou à quelqu'un d'autre, peu importe, parlez-en.

NAHIMA.– Et ton mariage ? Enfin je veux dire, ton voisin.

KANIOSHA.– Mon voisin ?…
Ça ne s'arrange pas.
Il exige de plus en plus de choses…
Cela devient infernal…

WANABAKÉ.– Et si tu lui en parlais, à ton homme ? Tu devrais le lui dire avant. Tout lui révéler… Prendre les devants…

AGNÈSI.– Tu es devenue folle ?

KAMEGUÉ.– Regarde-moi.

KANIOSHA.– Maintenant il faut que je parte.

WANABAKÉ.– Déjà ?

KANIOSHA.– Là j'ai trop tardé.
Il ne faudrait pas que
quelqu'un aille lui raconter que
pendant son absence
j'ai fréquenté les Recluses.
S'il le découvrait,
il pourrait par recoupements…
Vous comprenez ?

MAZÉLÉ.– Autour de moi, on trouve cela étrange. À propos de celui qui est parti et qui n'est jamais arrivé. On ne voit pas comment il pourrait comprendre quoi que ce soit à ce qui est survenu. Il y a tellement longtemps. Ils disent qu'il nous a abandonnés ; il y a longtemps il nous avait abandonnés. Alors comme ça, tout d'un coup, il arrive et il veut soigner les âmes. Il dit, parlez, je vous écoute. Mais avec quelles oreilles ?, ils demandent autour de moi. Il y a tellement longtemps qu'il est parti.

KAMEGUÉ.– Tu porteras une vraie robe ?

KANIOSHA.– Ma mère dit qu'elle sera
la plus blanche possible.
Pour couvrir.
Effacer.

MAZÉLÉ.– Ils m'ont dit qu'il devrait nous payer pour ça. Parce qu'on lui raconte ce qu'on lui raconte, il devrait nous payer.

AGNÈSI.– Autour de moi ils disent, il ne peut écouter qu'avec les oreilles de là où il n'est jamais arrivé. Comment pourrait-il comprendre ? De toute façon, personne ne voit comment le théâtre pourrait soigner ça.

KAMEGUÉ.– Le mien il m'a répudiée quand il a su.

WANABAKÉ.– Et toi, tu crois peut-être que ton mari ne le sait pas déjà ? Les langues vont si vite.

KAMEGUÉ.– Tu n'as rien fait, on t'a fait quelque chose, tu ne demandais rien, tu ne cherchais rien, mais c'est à toi d'expliquer au monde pourquoi cette chose-là t'est tombée dessus.

NAHIMA.– On le lui a dit, je le sais, plusieurs fois des langues se sont déliées contre moi, je le sais. Mais pour le moment ses oreilles sont fermées au monde car il est encore dans sa guerre.

AGNÈSI.– Comme une damnation. Tu étais là assise, tranquille à sourire au monde, et la chose te piétine, t'écrase.

MAZÉLÉ.– C'est bizarre, maintenant tout le monde veut se marier en blanc.

WANABAKÉ.– Après c'est à toi qu'on demande des comptes comme si tu l'avais voulu, secrètement désiré. La foudre ne tombe pas par hasard sur une maison, on dit. Pourquoi c'est sur toi et non pas sur la tête de quelqu'un d'autre que c'est tombé ? Qu'est-ce qu'ils veulent qu'on réponde à ça ?

MAZÉLÉ.– Et pourtant ça coûte cher de se marier en blanc. Rien que les gants, les chaussures. Alors la robe, n'en parlons pas.

NAHIMA.– Ses oreilles sont encore à la guerre, en guerre. Depuis qu'il est revenu, il n'a pas quitté ses habits de guerre. Bien sûr le soir, il les retire, mais la nuit, ses cauchemars me réveillent.

MAZÉLÉ.– Moi aussi ce serait en blanc si je devais me remarier.

AGNÈSI.– Tu as beau le retourner dans tous les sens, à la fin tu te dis, tu y es pour quelque chose. Parce que la foudre ne tombe pas sur une maison par hasard, tu y es certainement pour quelque chose.

WANABAKÉ.– On peut dire ce qu'on veut de celui qui est parti et qui n'est jamais arrivé, et peut-être qu'on a raison de dire ce qu'on dit de lui, moi depuis que j'en parle, ça me fait du bien ; je me sens moins seule.

KAMEGUÉ.– Ce matin, j'ai vu des gens en jaune, cahiers ouverts et stylos au poing, qui tournaient autour de l'arbre devant la maison du juge.

AGNÈSI.– L'arbre devant la maison du juge ? Mais c'est près de chez toi, Kaniosha.

KANIOSHA.– Je n'ai pas fait attention.

NAHIMA.– Ton mariage, tu devrais le précipiter. Parce que plus les jours passent, plus il y a des chances que quelqu'un lui chuchote que toi aussi tu en es.

KANIOSHA.– Aujourd'hui qu'avez-vous fait ?
Avec celui qui est parti et qui n'est jamais arrivé
qu'avez-vous fait ?

WANABAKÉ.– On a raconté son histoire, à Nahima.

Tous les personnages sont « joués » par le chœur des Recluses.

NAHIMA.– C'étaient des miliciens. Ils ont demandé, où est ton frère ?

12

Ils disaient qu'il avait tué l'un de leurs chefs. Qu'il lui avait pris son arme, ses chaussures, ses habits et sa montre. Ils disaient qu'ils recherchaient mon frère à cause de la montre. Parce qu'elle coûtait très cher...

KANIOSHA.– Mais c'est mon histoire !

NAHIMA.– J'ai répondu que je ne savais pas. Ils ont dit,

tu mens. Dis-nous où il se cache.

On ne lui fera pas de mal, on ne veut que la montre, c'est tout.

C'est vrai que c'est de l'argent, cette montre, on ne peut pas le cacher, mais c'est d'abord sentimental.

Tu comprends ça, sentimental ?

C'est la montre de notre chef quand même !

Tu comprends,

ils m'ont dit,

c'est comme si ton frère ne s'était pas contenté de lui prendre la vie, mais qu'il lui avait en plus arraché le sexe. Tu comprends ?

Ce qu'a fait ton frère n'est pas bien, mais nous ne lui ferons aucun mal. Juste la montre, c'est tout. Tu comprends ?

J'ai répondu que je ne savais pas où se trouvait mon frère.

Tu nous prends pour des imbéciles, c'est ça ?

Et ils m'ont arraché mes vêtements, et ils m'ont jetée à terre, et ils m'ont menacée,

avec ça tu vas parler.

Ils étaient neuf, peut-être dix, peut-être plus. Au troisième, je n'en pouvais plus. J'avais mal comme je n'avais jamais eu mal. Partout j'avais mal. Et surtout je me sentais comme de la boue, une boue dans laquelle se roulaient des porcs. Alors je leur ai dit, je l'ignorais mais je leur ai dit où se cachait mon frère ; je voulais que ça s'arrête et je leur ai dit, mon frère est dans les collines ; il cherche à passer la frontière pour aller vendre les chaussures et la montre de l'autre côté. Pourtant ils ont continué à faire de moi une boue.

KANIOSHA.– Mais c'est mon histoire !

NAHIMA.– Et puis cet homme est arrivé. Mon bientôt mari. Le jour de la victoire. Longtemps après il m'a dit,

pendant qu'on paradait, j'ai aperçu au milieu de cette joie morne un soleil. Toi.

Il est sorti du défilé, il a fendu la foule jusqu'à moi. Il s'est arrêté devant moi. Il ne disait rien, et ses yeux souriaient de larmes. Plus il me regardait en silence plus j'avais la sensation que je renaissais de ma chrysalide de boue.

Tu es le rêve qui, toutes les nuits, venait pourchasser mes cauchemars. Je t'ai tellement rêvée que j'ai cru que tu n'existais pas.

Alors j'ai soudain été secouée de sanglots lumineux.

KANIOSHA.– Mais Nahima,
c'est à moi que
c'est arrivé…
C'est mon histoire !

NAHIMA.– Je sais, Kaniosha. Mais bon, lorsque celui qui est parti et qui n'est jamais arrivé m'a demandé de parler, c'est ton histoire qui est sortie de moi. La mienne est inutilement sordide, et tellement insignifiante. Je ne vois pas comment l'on pourrait guérir en racontant cela. Alors j'ai raconté la tienne et je me suis sentie mieux, j'ai même eu la sensation de me supporter à nouveau. Et puis bon, tu ne veux plus y participer, alors je me suis dit qu'il fallait bien que quelqu'un raconte cette histoire ; ça fait du bien à tout le monde, tu sais.

KANIOSHA.– Nahima,
je souhaite que
tu ne la racontes plus.
Dis-toi que
cela ne s'est jamais passé…
Tu me comprends?
Cela ne s'est jamais passé…
Il ne faudrait pas que
quelqu'un, par recoupements,
comprenne que…
Vous voyez ce que
je veux dire?
Je me marie bientôt…
J'aimerais que
vous fassiez cela pour une amie…
Vous m'avez comprise?…
J'aimerais que
vous me laissiez une chance
de tout recommencer,
de me laver…
D'oublier…

MAZÉLÉ.– On a compris. Ne t'en fais pas, on ne la racontera plus. De
toute façon, cette histoire n'a jamais existé.

KANIOSHA.– Voilà,
c'est cela,
elle n'a jamais existé…
Cette histoire n'a jamais existé.

WANABAKÉ.– Compte sur nous.

KANIOSHA.– Merci.
Et excuse-moi, Nahima.
J'espère que tu m'as comprise…
Je ne voudrais pas que
mes paroles ne soient pas comprises…
Vous me comprenez?…

NAHIMA.– Aucun souci, Kaniosha ; ça ne s'est jamais passé.

KANIOSHA.– Cette fois il faut que je parte.

MAZÉLÉ.– Ton voisin, tu as dit que ça devenait infernal…

KANIOSHA.– Je dois partir.

AGNÈSI.– Tu viendras à notre fête de fin de mois ?

KANIOSHA.– J'essaierai…
Je dois partir…
J'aurais dû être déjà partie…

KAMEGUÉ.– Cette fois nous serons masquées.

KANIOSHA.– J'essaierai…
Comme c'est masqué, j'essaierai…
Il faut que je parte.

Elle sort.

3. PROJECTION 1 : TÉMOIGNAGE D'UNE RECLUSE

Je m'appelle Rose N., j'ai 35 ans et je suis commerçante. Je vis actuellement dans la commune de Kamenge.

La première fois, c'étaient des militaires. Ils ont surgi dans la maison avec des voisins. J'étais enceinte. Ils étaient sept. Ils ont exigé que mon mari soit présent pour tout voir. Ensuite ils ont tué mon mari. Le lendemain, j'ai avorté. Deux jours plus tard, les militaires sont revenus pour me tuer. Mais je me suis réfugiée dans le plafond de la maison ; je ne pouvais compter sur personne pour me venir en aide car la majorité des gens avaient fui. Je suis restée deux jours dans la maison auprès du corps de mon mari qui commençait à pourrir. C'est une voisine (une vieille dame) qui m'a aidée à ensevelir le corps. Par la suite, mes beaux-parents m'ont tenue pour responsable de la mort de mon mari ; ils pensaient que j'étais de mèche avec les assassins.

La seconde fois, cela s'est passé sur le bord de la route. J'allais chercher des marchandises. Ils étaient deux. Ils n'étaient pas militaires. Sur le bord de la route. Des gens allaient et venaient.

4. NUAGE MAUVAIS

Chez le voisin. Kaniosha entre avec un repas.

Kaniosha!... Heureusement que je t'ai, toi, ma Kaniosha... Qu'est-ce que tu m'as préparé aujourd'hui... À propos, je ne pourrai pas te voir demain comme prévu. Une affaire imprévue au tribunal. Sorcellerie. Encore et toujours la sorcellerie. La nièce de la femme de je ne sais quel ministre accuse l'épouse de son amant de l'avoir envoûtée... Mais c'est ça être juge dans un pays comme le nôtre. On te tombe dessus, il y a une affaire à juger, tu dois aller juger. Les choses se préparent, tabarnac!... « Tabarnac », personne n'utilise cette expression-là ici, pourtant c'est beau « tabarnac ». Les gens préfèrent éructer « putain » ou « bordel » ou les deux à la fois, « putain bordel »!... C'est quoi ça, « putain bordel »! Personne ne dira « putain bordel » à Montréal, crisse!... J'ai fait mes études au Canada, je te l'ai dit ça... À Montréal... Sers-moi quelque chose à boire. *(Elle lui sert à boire.)* Ah, Montréal... Voilà un pays, le Canada. Parce que, ma Kaniosha, ils ne sont pas plus intelligents que nous, faut pas croire ce qu'on raconte, c'est le même cerveau. Simplement ils sont organisés. L'or-ga-ni-sa-ti-on, tout est là. Ce n'est pas au Canada qu'on me demanderait d'aller juger une affaire au pied levé. « Au pied levé », j'aime bien aussi cette expression. Mais ça non plus, « au pied levé », on ne l'entend pas beaucoup ici. On ne l'entend pas parce qu'on le fait ; on fait tout au pied levé, à brûle-pourpoint, au petit bonheur la chance, au débotté. C'est-à-dire sans concertation, sans organisation. Donc perte de temps et manque d'efficacité, le temps étant de l'argent, donc pauvreté, donc guerre... Ah, mon pays!... Heureusement que je t'ai, toi, ma Kaniosha...

Monsieur le juge...

Tu n'étais pas née quand je suis parti, et c'était déjà la guerre. Comme si ce pays était né en guerre... Tu vois devant ma maison, les trois bull-dozers autour de l'arbre ? Ils sont à bout de patience, éreintés, et ils attendent qu'on vienne leur remettre de l'essence pour recommencer. Depuis ce matin, ils tentent d'arracher l'arbre. En vain. Ils se sont mis dans la tête qu'entre les racines de l'arbre reposent des corps de patriotes. Que l'arbre est en réalité la stèle d'une tombe commune. Ils veulent donc arracher l'arbre afin d'offrir une sépulture digne, humaine, à chacune de ces personnes. N'est-ce pas que cela part d'un bon sentiment, ma Kaniosha? Mais l'arbre refuse de céder à la folie des hommes, parce qu'il était déjà là, lui, l'arbre, déjà là avant la guerre, déjà là avant le pays. Il n'a donc rien à voir avec les tueries des hommes. Parce qu'à ce compte-là, ce n'est pas un pauvre arbre qu'il faudra arracher, c'est tout le ventre du pays qu'il faudra retourner, parce que c'est le pays tout entier qui est une tombe commune... Heureusement que je t'ai, toi, ma Kaniosha...

Monsieur le juge...

Viens t'asseoir sur mes genoux pour me faire manger... *(Elle s'assied sur ses genoux et le fait manger.)* J'aurais dû rester au Canada. Parce qu'ils m'ont supplié de rester, les Canadiens... Eux au moins ils savent qui est compétent et qui ne l'est pas. Pas comme ici où tout se vaut, tout s'annule. Mais j'ai refusé. J'ai refusé pour ma patrie. Parce que je me suis dit, ma Kaniosha, si personne ne rentre, qui construira la nation? Alors je suis revenu. Je me suis sacrifié. Je suis revenu m'embourber dans l'impuissance glauque où patauge ce pays. Je me suis sacrifié, et me voilà réduit à juger des affaires de sorcellerie, au pied levé, au débotté, à brûle-pourpoint, au petit bonheur la chance. Et c'est ainsi qu'on devient un nuage mauvais de plus flottant sur le destin de sa propre patrie... Et ma femme qui ne rate aucune occasion de me pourrir la vie!... Tabarnac, quel enfer, cette femme!... Heureusement que je t'ai, toi, ma Kaniosha. Mon soleil. Tu dis que ton mari, enfin ton futur mari, lui aussi t'appelle mon soleil?... Il a raison, tu es un soleil... C'est toi que j'aurais dû épouser...

Monsieur le juge...

Crisse, tu as la tête tendrement dure, ma petite Kaniosha. Pas de «monsieur le juge» je t'ai cent fois dit, mais Niyonkuru... Niyonkuru pour toi... Kaniosha et Niyonkuru...
Il refuse une bouchée que Kaniosha lui tend et lui ouvre le corsage. Fébrilement, fiévreusement il la caresse, jusqu'à l'indécence. Autant l'homme semble surexcité, autant Kaniosha reste impassible, froide comme une pierre. Comme s'il ne s'agissait pas de son corps, d'elle. Ailleurs. Absente.
Non, je ne veux plus que tu me remplisses la bouche de nourriture, je veux qu'elle soit pleine de tes lèvres, de tes seins... de la douceur nacrée de ta peau... Je ne veux pas être rassasié de nourriture, je veux

être rassasié de toi… Enivré de tes senteurs… Que tu sens bon, ma Kaniosha… Comme une Canadienne… Parce que ça sent bon, une Canadienne, je n'ai jamais su pourquoi… Peut-être à cause du caribou qu'elles bouffent presque cru… Peut-être le sirop d'érable… Toi aussi tu sens bon… Tout en toi sent bon…

Monsieur le juge…

Niyonkuru… Je t'en supplie Kaniosha… Appelle-moi Niyonkuru…

Monsieur le juge…

Niyonkuru… Niyonkuru… Ou gifle-moi…
Elle le gifle.
Encore.
Elle le gifle.
Encore.
Elle le gifle.
Encore.
Elle le gifle.
Oh, ma Kaniosha… Tu aimes quand je fais le cheval, mon soleil, ma fête, ma joie?…

Je ne sais pas, monsieur le juge.

Allez, dis-moi de faire le cheval.

Faites le cheval, monsieur le juge.

Le voisin hennit puis s'ébroue comme un cheval.

Heureusement que je t'ai, toi, ma Kaniosha… C'est toi que j'aurais dû épouser… Mais quand je suis revenu, tu n'étais encore qu'une enfant jouant presque nue dans la rue… Mais déjà un soleil. Un soleil se faufilant entre les nuages… Tout, tôt ou tard, se transforme en nuage noir dans ce pays. Sauf toi. Ma Kaniosha…

Monsieur le juge
je suis venue vous dire que
parce que
j'ai fait tout ce que
j'ai fait tout ce que vous m'avez demandé
vous m'avez demandé de vous écouter parler
je vous ai écouté parler

vous m'avez demandé de vous apporter vos plats préférés
j'ai préparé et
je vous ai apporté vos plats préférés
vous m'avez demandé de coucher avec vous
au milieu du salon
dans la cuisine
dans votre lit
j'ai couché avec vous
dans votre lit
dans la cuisine
au milieu du salon.
Jamais je n'ai désobéi.
Je crois que j'ai assez payé, monsieur le juge,
et je voudrais,
c'est une prière monsieur,
je voudrais que
ça s'arrête.
J'ai assez payé,
et je suis venue vous implorer de me laisser ma liberté.
Parce que
bientôt c'est mon mariage.
Je me marie.
Et je voudrais me présenter devant mon homme
un peu moins sale,
un peu moins abîmée,
un peu moins dégoûtée de moi-même.

Mais qu'est-ce que tu me chantes là, ma petite Kaniosha ? C'est ton mariage, hein ?… C'est ça, c'est ton mariage. Avec ce vaurien de Nzéyimana ? J'ai connu ça. La perspective de ton mariage te fait perdre tes repères ? En fait, tu as le blues… « Avoir le blues », voilà encore une expression qu'on n'entend jamais ici ; les gens préfèrent dire « je ne suis pas bien », « je suis mal », « je suis déprimé », « je suis stressé »… C'est le blues que tu as, ma Kaniosha, mais c'est normal, c'est complètement normal… Le mariage, ça donne toujours le blues. C'est bien souvent qu'un long blues, un mariage. Surtout avec un va-nu-pieds comme Nzéyimana.

Ce n'est pas cela, monsieur le juge.
Je suis très heureuse à l'idée de
me marier avec Nzéyimana.
Vous seul savez le sacrifice que
j'ai enduré pour voir ce jour arriver.
Je sais à l'avance que
ce sera le plus beau jour de ma vie.
Par conséquent, monsieur le juge…

Niyonkuru… Niyonkuru, Kaniosha…

C'est fini, monsieur le juge.
Je suis à bout.
Je ne reviendrai plus vous voir…

Esti de câlice de crisse de tabarnac, tu veux tout gâcher ? C'est ça, tu veux vraiment tout foutre par terre, à quelques heures de ton mariage ? Et puis moi, tu me mets où, dans tes élucubrations tu me mets où, Kaniosha ? Tu n'es qu'une petite égoïste ! Voilà ce que tu es, une qui ne pense qu'à son petit nombril ! Après tout ce qu'on a partagé…

Mais on n'a jamais rien partagé, monsieur le juge…

Si, si, on a partagé, on partage et on partagera encore beaucoup de choses… Parce que j'y ai songé, figure-toi… Un mariage n'est qu'un mariage… Ainsi même après ton mariage, on pourrait continuer à… Car si je te tiens par le secret, toi tu me tiens par toi. Toi, mon soleil. Par ta beauté, ta fraîcheur, ta beauté, tes senteurs, ta beauté, tes senteurs de Canadienne, ta beauté, ta douceur, tu es tellement douce Kaniosha, comme un soleil bienfaisant, ta beauté, ta sensualité… Je ne peux plus me passer de toi, ma vie sans tes visites ne sera qu'un interminable et lancinant blues. Je suis devenu ton prisonnier, ma Kaniosha… Et si tu m'épousais, moi ?…

Mais, monsieur le juge…

Niyonkuru… Épouse-moi !… Tu annules tout, je répudie ma femme, et on se marie…

Mais il n'a jamais été question d'aimer.
Ce n'est pas vous que j'aime.
Je ne vous aime pas.

Je sais, mais je nous aimerai pour deux.

Je ne reviendrai plus ici monsieur…

Tu veux vraiment que je lui révèle tout? Tu veux que je lui dise combien ils étaient? Comment leurs râles de jouissance étouffaient tes cris de douleur? Tu veux que je lui raconte dans quelles circonstances ta virginité a été saccagée? Tu veux que je lui révèle qu'il s'apprête à épouser une femme souillée? Réfléchis ma petite Kaniosha, il ne faudrait pas que le blues te bouffe la cervelle. Réfléchis bien. Demain, contrairement à ce qui était prévu, je n'irai pas au tribunal. Qu'ils aillent se faire foutre… Tiens, ça non plus, «se faire foutre», on ne l'entend pas ici… Quoi qu'il en soit, qu'ils aillent se faire foutre avec leurs histoires de sorcellerie. Demain, à la même heure, ma femme ne sera pas là, je veux te voir ici. Si à cette heure, je ne te vois pas dans cette maison, dans la seconde qui suit ton futur mari sera mis au courant de tout. Alors?

Un temps.

Demain je reviendrai.

J'ai toujours su que tu étais une fille intelligente.

À demain, monsieur le juge.

Tu n'oublies rien, ma Kaniosha?… Tu m'as fait manger… tu m'as fait boire… tu m'as écouté… Tu es sûre que tu n'oublies rien?

En effet.

Elle commence à se déshabiller.

À propos, Kaniosha, ce type, celui qui est parti et qui n'est jamais arrivé, qu'est-ce qu'il fait avec… de toutes ces femmes…

Je ne vois pas de quoi vous voulez parler…

Pourtant… Des femmes comme toi. Il les réunit de temps en temps et… elles parlent. Qu'est-ce qu'elles lui racontent? Ou qu'est-ce qu'il leur dit?

Aucune idée…
Je n'en ai jamais entendu parler…
Peut-être des histoires de là où il n'est jamais arrivé…

Ah… Eh bien, renseigne-toi. Laisse traîner l'oreille. Il y a déjà assez de confusion comme ça dans ce pays…

Ici ?…
Dans votre chambre ?…
Dans la cuisine ?

Ici, sur la table.

Bien évidemment, monsieur le juge.

5. PROJECTION 2 : TÉMOIGNAGE D'UNE RECLUSE

Je m'appelle Hélène M., j'ai 45 ans, je n'ai pas de travail. Je réside actuellement dans la commune de Kinama. J'étais allée à l'intérieur du pays pour les funérailles de ma mère. Pendant la nuit, des hommes ont surgi dans la maison de ma grande sœur où je dormais. Ce n'étaient pas des militaires, mais des bandits. Les bandits nous ont menacées, ma sœur et moi, de mort si on parlait à qui que ce soit de ce qu'ils venaient de nous faire. Nous en avons quand même parlé à une infirmière qui nous a donné des médicaments et qui a promis de tenir le secret. Depuis, je vis des moments très pénibles chaque fois que me reviennent les images de cette nuit. J'ai surtout souffert de ne pouvoir en parler à personne jusqu'à ce que quelqu'un me parle de la Maison des Femmes ; elle m'a dit que l'on y accueillait les femmes comme moi, et qu'on les aidait à guérir de leurs blessures. Je me suis mise alors à fréquenter les groupes de parole de la MDF et j'ai pu apprendre comment en parler à mon mari qui ne m'a pas répudiée.

6. BAL MASQUÉ

Un bal masqué chez les Recluses.
La musique bat son plein.
Tout le monde danse.
La musique baisse.

Agnèsi ?

Oui… C'est Kaniosha ?…

Oui, c'est moi…

Tu as pu venir ?

Je n'allais pas rater ça…
Il n'est pas venu ?…
Comme on porte des masques,
c'est comme si je n'étais pas là…
Celui qui est parti et qui n'est jamais arrivé…
Je ne le vois pas…

Non, mais toi tu as bien fait de venir. J'avais besoin de te voir. Pour ça.

Elle lui remet une petite boîte.

Qu'est-ce que c'est ?

Un petit appareil. On s'est toutes cotisées pour te l'offrir. Un cadeau de mariage anticipé. Quand tu l'ouvriras, tu comprendras immédiatement à quoi il pourrait te servir. C'est à propos de ton voisin…

La musique bat son plein.
Tout le monde danse.
La musique baisse.

L'arbre, ils n'y arrivent toujours pas. Du côté de chez Kaniosha. Devant la maison du juge. Impossible de le faire tomber.

Des jours que ça dure.

Ils ont même fait venir d'autres machines.

Ça leur est venu d'où qu'il y avait des corps sous l'arbre ?

Des qui ont leurs dents devant elles comme des coléoptères.

On dit que c'est un arbre sorcier.

Moi je n'ai aucun don de sorcellerie, mais je pense que c'est vrai que c'est de la sorcellerie. Parce qu'on ne peut pas vivre indéfiniment, et cet arbre a toujours été là, là avant le pays.

Ils l'ont poussé, ils ont raclé la terre autour ; poussé, raclé la terre, poussé, raclé, l'arbre tient toujours debout.

Eh bien, moi je dis, ce n'est pas normal. Bon, mais de là à ce qu'il y ait des corps là-dessous, ça c'est autre chose.

Il y a des corps là-dessous. La vérité, et je la tiens du cousin de quelqu'un de haut placé, la vérité c'est que les autorités ne sont pas contentes de l'arbre, et elles ont décidé de le punir. Parce que pendant la guerre, l'arbre ne nous a pas aidés avec toute sa sorcellerie, il est resté les bras croisés pendant qu'on nous trucidait. En outre il a ouvert son ventre pour cacher les traces de la barbarie des autres. Et ça, les autorités n'ont pas apprécié. Du coup, elles cherchent à le lui faire payer. Voilà la vérité vraie.

La musique bat son plein.
Tout le monde danse.
La musique baisse.

… Écoute maintenant des choses sérieuses. Est-ce que je ne t'ai pas gardée ? Je t'ai gardée ou je ne t'ai pas gardée ?… Alors que toute ma famille exigeait que je te répudie après ce qui t'est arrivé, je t'ai gardée, non ? Vrai ou faux ? Vrai. Alors ? Parce que tu en connais beaucoup des maris qui n'ont pas répudié les femmes comme toi ? Moi je n'en connais que deux dans cette ville, Kiriatu et moi, c'est tout. Donc fais pas cette tête quand je te parle de choses sérieuses. C'est pour ton bien que je le dis, et je pense que je t'ai suffisamment témoigné mon amour pour que tu n'aies pas à lever ce regard-là sur moi. Regarde un peu Kiriatu et sa femme. Au sortir de la guerre, ils étaient comment ? Ils étaient encore plus pauvres que nous, mais maintenant qu'est-ce qu'on voit ? Hein, qu'est-ce que nous avons tous sous les yeux ? Ils se sont fait construire une belle villa, ils ont une voiture, sans compter tout le bétail qu'ils ont depuis au village. D'après toi, cet argent leur est tombé du ciel ? Simplement la femme de Kiriatu, elle, elle s'est montrée compréhensive. Parce que c'est une femme intelligente, pragmatique. Je suis certain qu'elle s'est dit, souillée pour souillée… Voilà ce qu'elle s'est dit, avec raison, puisque je suis déjà souillée, autant que cela me rapporte quelque chose. Vraiment une femme intelligente.

La musique bat son plein.
Tout le monde danse.
La musique baisse.

Je l'ai regardé calmement aller et venir en bandant ses muscles et en exhibant son fusil. À votre place je n'essayerais pas, j'ai une maladie mortelle, je lui ai dit. Et là, il se met à trembler comme s'il venait de rencontrer le diable ; il jette son fusil à mes pieds et il détale. Trois jours après, un autre est entré chez moi. Lorsqu'il m'a mis le couteau sous la gorge, je lui ai dit, à votre place, je n'essayerais pas, j'ai une maladie mortelle. Et là il m'a fait, ben, ça tombe bien, parce que moi aussi. Sauf que lui ne racontait pas d'histoires.

La musique bat son plein.
Tout le monde danse.
La musique baisse.

Donc écoute-moi bien, on ne joue plus, fini les enfantillages. J'ai déjà tout un réseau de personnes. Des clients potentiels. Ils sont prêts à débourser beaucoup d'argent pour ça. Souillée pour souillée… Tu ne peux t'imaginer à quel point un homme ça pense d'abord avec son bas-ventre. Tu pourras même très vite mordre sur la clientèle de la femme de Kiriatu. Tu es plus belle et plus jeune. En plus tu es novice, c'est comme si tu étais vierge. Tu comprends, en quelque sorte tu es vierge. Et j'en connais qui sont prêts à se ruiner pour de la chair inno-cente. Donc c'est au début qu'on va se faire le plus d'argent. Tu n'auras pas à déambuler sur un bout de trottoir ou ce genre de choses. Mais dans notre chambre, discrètement. Classe. Personne jamais ne saura que tu t'y adonnes. Et eux, ils n'ont pas intérêt à aller raconter à toute la ville qu'ils font ça avec toi, tu comprends, pour leur réputation. Classe, je te dis. Simplement, il va falloir que tu arrêtes de faire ta forte tête et me laisser mettre tout ça en place. Hein, qu'est-ce que tu en dis ? Parce que souillée pour souillée…

La musique bat son plein.
Tout le monde danse.
La musique baisse.

Cette histoire, je suis au courant. En fait, l'un des grands chefs, vraiment un de en haut de en haut, celui dont la tête, dit-on, tutoie le ciel, est persuadé que s'il réussit à faire abattre l'arbre, il vivra, enfin d'après ce qu'on m'a dit, le restant de vie de l'arbre.

On dit que finalement ils vont creuser un tunnel à partir de l'autre côté de la rue jusqu'aux racines pour retirer les corps.

Je ne vois plus que ça à faire.

Après ils scieront toutes les racines, une à une, et l'arbre s'écroulera de lui-même.

Même avec ça, je ne suis pas certaine qu'ils aient raison de l'arbre.

La musique s'arrête.
Une personne avance et ôte son masque. C'est Nahima.

Bon, maintenant à mon tour. Voici l'histoire à laquelle j'ai toujours préféré celle de Kaniosha. Voici mon histoire. L'histoire de ce qui m'est arrivé. Cela s'est passé deux fois. En deux temps. D'abord quand j'étais petite. Mon enfance a été heureuse. Mon père était même fonctionnaire. Étant la cadette, j'ai été gâtée par mon père. Mes parents m'ont scolarisée dans une école payante, la meilleure de la ville, l'école catholique des Jeunes Filles. Bon, ce n'est pas pour autant que j'ai fait de bonnes études. Parce qu'il n'y a pas plus conne que moi. Je n'étais pas faite pour l'école, je ne comprenais rien, mais alors rien du tout à ce que racontaient les bonnes sœurs. Donc l'école, ç'a été très vite réglé ; je ne suis même pas arrivée au collège. Quand je vous dis qu'il n'y a pas plus conne. Bon, école ou pas mes parents ont continué à me gâter ; papa m'achetait toujours autant de poupées, d'habits, de chaussures, de boucles d'oreilles, toutes sortes de choses, et maman me tressait les cheveux, chantait pour moi, et surtout, alors que j'étais déjà grande, me portait sur son dos. Gâtée, pourrie, je vous dis. Bon, quand j'ai rencontré Bacécéro, mon mari, ç'a été la même chose ; il m'aimait, parce que c'est rare de tomber sur un mari qui vous aime. Quelqu'un de vraiment bien jusqu'à la guerre, cette guerre qui n'est plus jamais sortie de sa tête. *(un temps)* Bon, quand ils sont entrés chez moi, après avoir fracassé la porte à coups de pied, j'ai été comme soulagée. Toutes les femmes que je connaissais l'avaient déjà subi. Alors chaque fois je me disais, prépare-toi ma grande, bientôt ce sera ton tour ; il n'y a pas de raison que tu n'y passes pas. Donc quand je les ai vus entrer, je me suis dit, au moins après, ce ne sera plus que derrière toi. Ils étaient trois. Pour la forme, je leur ai parlé de mes bijoux contre… Enfin disons ma vie. Ils m'ont dit, c'est la guerre, et la guerre c'est fait pour tuer. Mais ce qu'on va te faire, c'est plus que te tuer. Ils ont pris les bijoux et ils m'ont plus que tuée. La guerre vous réduit à n'être que de la viande. La seconde fois… *(Un temps, puis elle éclate de rire.)* Parce que les soldats, ce n'est pas que je comprenais, mais c'était la guerre et ils m'ont fait ce qu'on fait à un ennemi : le tuer. Ils avaient à la main, et tout autour de la taille, des armes et des armes, mais c'est avec cette chose-là qu'ils ont choisi de me tuer. Bon, disons qu'on s'y attend. Plus ou moins on s'y attend. Donc j'étais en train d'entasser vêtements et draps pour aller les brûler quand je l'ai vu entrer. Il portait une sorte de masque sur le visage et il m'a parlé avec une grosse voix, comme ça, allez couche-toi là pour que je te montre qui je suis. Et j'ai éclaté de rire. Alors il m'a dit, toujours avec sa voix qu'il voulait virile, pourquoi ris-tu, femme ? Mais parce que tu me fais rire, Siglifwè ! Parce que c'était mon voisin, Siglifwè, vous le connaissez, le simple d'esprit. Alors il me fait, cette fois avec sa vraie voix, comment sais-tu que c'est moi ? Mais parce que tu es le seul ici à avoir une jambe plus courte que l'autre, Siglifwè ! Mais qu'est-ce qui t'a pris ? Je ne sais pas, il répond en pleurnichant déjà comme un enfant. Tout le monde fait ça aujourd-d'hui. Moi, je ne l'ai jamais fait, et je t'ai toujours trouvée très belle. Alors je me suis dit, comme aujourd'hui tout est renversé, tu devrais profiter du désordre pour… Parce que je l'ai jamais fait… Et puis en se grattant la tempe, comme ça, il me demande, est-ce que je peux toucher tes seins au moins ? Je lui dis, quitte devant mes yeux, tu crois que mon cul est devenu boutique cadeau ? Disparais, sinon j'irai tout raconter à tes parents. Et il est ressorti la queue entre les pattes. Bon, mais tout ça, ça ne fait pas une belle histoire. C'est autre chose quand tu racontes, c'étaient des miliciens, ils ont demandé, où est ton frère ?, ils disaient que mon frère avait tué l'un de leurs chefs, qu'il lui avait pris son arme, ses chaussures, ses habits et sa montre, ils disaient qu'ils recherchaient mon frère à cause de la montre, parce qu'elle coûtait très cher…

Kaniosha sort.

Tu as promis que tu ne raconterais plus son histoire.

J'ai répondu que je ne savais pas, ils ont dit, tu mens, dis-nous où il se cache, on ne lui fera pas de mal, on ne veut que la montre, c'est tout...

Nahima!... On a promis à Kaniosha que cette histoire, on ne la raconterait plus...

C'est plus fort que moi... Pardonnez-moi... Mais mon histoire à moi est tellement mièvre... Que Kaniosha me pardonne...

Nahima remet son masque.
La musique bat son plein.
Tout le monde danse.
La musique baisse.

Nahima...

Kamegué?... C'est toi Kamegué?...

Oui, c'est moi...

Elle tend des balles de fusil à Nahima.

Tiens, voici trois balles... C'est tout ce que les copines ont pu trouver... Mais trois balles, ça ira, je crois... Ce n'est quand même pas un éléphant... En principe, elles vont dans son fusil...

La musique bat son plein.
Tout le monde danse.
La musique baisse...

7. PROJECTION 3 : TÉMOIGNAGE D'UNE RECLUSE

Je m'appelle Chanceline D., j'ai 28 ans, je suis employée de maison. Comme Rose, je vis actuellement dans la commune de Kamenge. En 2007, mon mari, qui est commerçant, a eu un conflit avec une autre femme commerçante. Cette dame a porté plainte contre mon mari. Le tribunal a donné raison à la dame, et mon mari devait être emprisonné. Mais pour des raisons que je ne m'explique toujours pas, c'est moi qui ai eu à purger la peine de mon mari. Pendant mon emprisonnement, le chef de poste est entré dans ma cellule. Il était avec un de ses hommes qui, lui, est resté devant la porte pour monter la garde. Quand le chef de poste a eu fini, il a demandé à celui qui montait la garde de venir en profiter, pendant que lui monterait la garde. Je n'en ai parlé à personne dans la prison, mais j'ai appelé ma famille pour les mettre au courant. Une amie infirmière m'a donné des médicaments. À ma sortie de prison, j'ai porté plainte. Heureusement pour une fois, une femme comme moi a été écoutée, et les deux hommes ont été emprisonnés.

8. L'ÉTERNEL SOLDAT

Chez Nahima et Bacécéro.
Bacécéro est en tenue militaire.
Le couple joue à la guerre, ou plus vraisemblablement Nahima aide son mari à se croire toujours en guerre. Bacécéro tient une vraie arme, tandis que Nahima tient un morceau de bois en guise de fusil. Cependant tous deux font « tatatatata » et « boum boum boum » avec la bouche.

…Ne battez pas en retraite!… Les lignes 123 et 124 viennent de tomber aux mains de l'ennemi. Si cette position tombe, nous capitulons!… Tenez donc votre position jusqu'à la dernière goutte de votre sang!

Aïe!… Ils m'ont eue… Je suis blessée… Aidez-moi, colonel, je perds tout mon sang…

Vous êtes blessé où, soldat?

Là, à l'épaule, et je perds des litres et des litres de sang.

Ah oui, une sale plaie. Il ne vous a pas raté, le fils de pute de fils de pute. Laissez-moi faire.
Il sort une bande et du Mercurochrome. Il lui bande sommairement l'épaule.
Voilà, c'est fait. Maintenant à l'attaque! L'ennemi rôde, soldat.

Oh non, je suis fatiguée…

Comment ça fatigué? Vous croyez peut-être que l'ennemi, lui, se fatigue? La guerre n'attend pas. Debout, soldat!

Je suis à bout… Et puis j'ai soif… Et puis je perds tout mon sang… Colonel, laissez-moi ici… Je suis devenue un fardeau… Continuez sans moi…

Tenez ma gourde!…
Il lui lance sa gourde.
Et arrêtez d'ânonner des conneries plus grosses que vous!… Mais buvez donc!…
Elle boit.
Alors soldat?

C'est étrange, je perds moins de sang et je n'ai plus soif… Mais mon épaule me fait de plus en plus mal ; j'ai besoin d'être rapatriée à l'arrière, mon colonel…

Pas question! On doit finir le boulot, soldat!…

Nahima soudain se met à tirer dans le vide.

«Tatatatata»… Oh, raté… C'était lui, mon colonel… Celui qui m'a tiré dessus tout à l'heure…

Ah oui, je vois, le fils de pute de fils de pute est revenu finir sa besogne… L'avez-vous reconnu, soldat?

Oui, mon colonel…

Alors?

Vous n'allez pas me croire, mon colonel. Moi-même je ne parviens pas à croire ce que j'ai vu…

Qu'est-ce à dire, soldat?

Ce n'est pas possible?

Allez-vous enfin parler, soldat!

Les bras m'en tombent et je reste bouche bée…

J'ai les moyens de vous faire parler… Parlez, soldat!

Un des nôtres?

Comment ça un des nôtres?

Non, non, je n'arrive pas à le croire.

Arrêtez de me faire lanterner, soldat! Qui est le fils de pute de fils de pute qui a trahi son propre camp?

Un vrai fils de… Un déserteur, un traître…

Soufflez-moi son nom à l'oreille.
Elle lui chuchote quelque chose à l'oreille.
Impossible!

Je vous le jure, mon colonel.

Ne jurez pas, nom de fils de pute!

Je ne jurerai plus, mon colonel, mais c'est la vérité.

Non.

Et pourtant.

Non.

Et pourtant.

Non.

Et pourtant.

Le déserteur, le collabo, le fils de pute de fils de pute c'est le juge Niyonkuru ?

Monsieur le juge lui-même, mon colonel. À présent tout s'éclaire. On m'avait dit des choses à son encontre ; des ragots, je me disais, et je n'ai pas voulu y prêter foi. Mais à présent... Je me suis laissé dire qu'il livre la vertu de nos femmes à la débauche des soldats ennemis ; on dit qu'assister à la chose lui procure un grand plaisir...

Le juge Niyonkuru ! Alors là, les bras m'en tombent...

Ah, vous aussi ?

Et je reste bouche bée...

Vous voyez, les bras vous en tombent et vous restez bouche bée...

Il faut vite agir et agir vite... Que préconisez-vous, soldat ?

Une épuration dans nos rangs. Je ne vois que ça. Couper le membre malade avant que la gangrène ne se propage à tout le reste du corps. Isoler et détruire la tumeur avant qu'il ne soit trop tard. Il faut tuer le juge, mon colonel.

Tuer le juge Niyonkuru ?...

Mais ce type est une saleté !... une... un... une... un objecteur de conscience... un déserteur... un traître... un fils de... qui n'a pas hésité à tirer sur un des siens, et qui livre ses propres sœurs et mères à la dépravation des ennemis... Cet honneur vous revient, mon colonel. C'est à vous de l'exécuter...

Savez-vous, soldat, que mon arme est sans munitions depuis des jours ?

Je le sais, mon colonel. Aussi me suis-je débrouillée...
Elle sort les trois balles que lui avait remises Kamegué.
Des balles pour vous. Des vraies ; elles tueraient un éléphant. Cette nuit, surprenez l'objecteur de conscience, le déserteur, le traître, le fils de... Le fils de pute de fils de pute... Voilà, je l'ai dit, le fils de pute de fils de pute... Oh, ça fait un bien fou de l'avoir dit...

35

Et d'après vous, pourquoi je dis tout le temps fils de pute de fils de pute, hein, d'après vous soldat?...

Parce que justement ça fait un bien fou, mon colonel.

Eh bien, voilà.

Fils de pute de fils de pute!... C'est sorti comme ça. Je me sens soulagée...

Alors disons que vous étiez constipé, soldat.

C'est ça, j'étais constipée. Et là, soudain paf! Comme un bouchon qui saute. Fils de pute de fils de pute. Qu'est-ce que ça fait du bien!... Bref, cette nuit surprenez-le dans son sommeil avec une balle dans le front. Ou dans la nuque. Ou dans le cœur. Ou dans le front, et dans le cœur, et dans la nuque. Le lendemain, on mettra certainement cela au compte de quelque rôdeur. La guerre n'a-t-elle pas enfanté d'un pays de malfrats?

Tuer le juge... Nahima, qui vois-tu devant toi?... Crois-tu réellement que je sois fou? Que la guerre m'ait brûlé la tête?... Regarde-moi bien Nahima, c'est moi Bacécéro, ton homme...

Mais qu'est-ce qui vous prend, mon colonel, vous êtes soudain bizarre-bizarre...

Onze ans, elle devait avoir. Treize tout au plus... Une enfant. Aujourd'hui je peux te le dire, à toi je peux le dire. Bacécéro n'est pas fou. Je suis revenu de la guerre avec, hélas, toute ma tête. Elle est tellement entière, ma tête, que j'ai choisi de paraître fou. Pour continuer à me supporter après ce qui s'est passé... Autour de moi tous disaient, fais-le, car ceux d'en face ne s'en privent pas sur nos femmes, nos sœurs, nos mères. Mais jamais je n'y avais pris part; j'ai toujours pensé que la guerre n'autorisait pas tout. Je ne voulais pas que la guerre fasse de moi une bête... Là-bas aussi on a souillé des femmes, Nahima... J'ai enjambé les corps du père et de la mère. Jusqu'à la chambre. La pièce vide était pleine de sa présence. Onze ans. Peut-être douze... treize... Tranquillement j'ai jeté un regard autour de moi. J'ai vu le collier de perles en premier. Puis la cheville. Le collier de perles autour de sa cheville. Son pied gauche dépassait de dessous le lit où elle s'était cachée. Je l'ai agrippée par la cheville et je l'ai traînée hors de sa cachette. Une enfant... Ne me tue pas... Ne me tue pas... Elle ne répétait que cela, ne me tue pas, avec des yeux agrandis par la terreur. Et

étrangement beaux de lumière affolée. Elle n'avait pas eu le temps de
se couvrir… Après cette chose, je n'ai eu de cesse de me répéter, tu n'as
pas fait ça… Tu n'as pas fait ça… Tu n'as pas pu te muer en bête… Et
quand bien même, c'est la guerre… Et la guerre n'est pas finie… Ne
me tue pas, me suppliaient ses yeux terrifiés… Jamais je n'ai vu un
esprit et un corps m'être aussi absolument soumis… C'est la guerre…
Des choses qui arrivent dans toutes les guerres… Ce n'est que ça la
guerre… On voit ces choses-là sur tous les champs de bataille… Je ne
sais pas ce qui soudain n'a plus été à sa place dans ma tête… Peut-être
le sentiment d'impunité qu'aiguisaient sa peur et sa faiblesse. Peut-
être cette lumière affolée dans ses yeux. Peut-être ce qui tremblait entre
ses cuisses… Je me suis senti comme ivre. Je n'ai pas eu besoin de
penser à ce que les autres faisaient à nos femmes… Oh mon Dieu, ces
hurlements… Ce sont ses cris. Et le sang. Ses cris et son sang me galva-
nisaient. Plus je m'oubliais dans le sang de sa douleur plus elle hurlait,
et plus elle hurlait plus je m'oubliais dans le sang de sa douleur. En
même temps je voulais qu'elle se taise… Tais-toi! Tais-toi! Tais-toi!…
Il y a eu un silence soudain ; même la guerre dans le lointain s'était tue.
Puis j'ai senti mes doigts relâcher leur pression autour de son cou. Ses
yeux restaient toujours grands ouverts, mais la lumière n'y dansait
plus. Alors j'ai compris. J'ai repoussé le corps, une enfant, sous le lit et
je suis ressorti pour échapper à l'ignominie qui déjà ricanait dans la
maison. Et dans ma tête… Onze ans… Treize tout au plus… Le
mensonge pour exorciser la vraie folie… Comme un rempart derrière
lequel regarder le monde dans les yeux. Et je le vois, le monde,
Nahima.

Bacécéro, mon mari, apaise mon âme, c'est la folie qui continue de
radoter dans ta tête?

C'est la vérité…

NON!

Que la vérité, Nahima…

NON!

Elle éclate en sanglots.

… et la folie n'était qu'une ruse face à la honte.

NON!

Rien que la vérité, Nahima. La guerre m'a jusqu'ici évité le tête-à-tête avec ma conscience. Mais voilà, la guerre est bel et bien finie, m'abandonnant au milieu des cendres, tel un arbre en plein désert, cette chose... J'ai fait cette chose, Nahima... Tu vois, je ne suis pas fou. À toi je peux le dire, toi que la guerre a également fait descendre au plus profond du puits de la souillure...

Moi?...

Je ne te répudierai pas, rassure-toi. De quelle autorité un homme comme moi répudierait-il une femme comme toi, Nahima?... C'est une bonne chose que tu fréquentes ces femmes que celui qui est parti et qui n'est jamais arrivé essaie de guérir par la parole...

Tu savais?

Pour Kaniosha aussi, je sais. Mais reprends tes balles ; je ne juge pas Kaniosha et je n'irai pas cette nuit tuer le juge. Je suis certain que Kaniosha trouvera suffisamment de sagesse en elle pour se sortir du mur qu'elle a elle-même construit autour d'elle. La folie m'a permis de regarder cette ville telle qu'elle ne se soupçonne même pas. Mais je ne juge pas. De quel droit? J'ai déjà tellement de mal à porter mon propre fardeau, pourquoi devrais-je en rajouter à celui des autres? Je ne juge pas, je suis simplement là, comme cet arbre, devant la maison du juge, coupable de n'avoir pas pris parti, d'avoir simplement été là, pendant la tragédie... Mais pourquoi faites-vous cette tête, soldat?... Et votre épaule, comment va-t-elle?...

Euh, mon épaule?... De mieux en mieux, mon colonel. Et je ne suis plus fatiguée ; votre eau m'a fait beaucoup de bien.

Tant mieux, vous m'en voyez ravi... Cachez-vous soldat, voici l'ennemi qui avance. Tout un escadron de fils de pute de fils de pute.

Oh, la belle embuscade! L'occasion de les désosser pour de bon.

Tenez-vous prêt, soldat!... L'heure est venue de montrer votre bravoure, d'accéder enfin aux plus hauts grades de notre valeureuse armée... lieutenant, capitaine, commandant, colonel, général, chef d'état-major... de vous couvrir de décorations... en un mot, d'ouvrir votre page dans le grand livre de l'histoire! Par conséquent, à mon commandement, feu!

Le couple se met à courir et à tirer dans tous les sens en faisant, « tatatatata » et « boum boum boum » avec la bouche.

9. PROJECTION 4 : TÉMOIGNAGE D'UNE RECLUSE

Je m'appelle Francine B., j'ai 20 ans. J'habite actuellement dans la commune de Kamenge. Mais auparavant, depuis le décès de mon père, j'habitais avec ma famille à Mugongomanga. Quand c'est arrivé, j'étais en 4e année primaire. Des rebelles. Ils ont surgi dans la maison. Ma mère était absente. Ils étaient trois, mais seuls deux ont pris part à ce qui m'est arrivé. Après cette chose, certaines personnes de mon entourage m'ont montrée du doigt. Ces gens disaient que c'est moi qui ai profité de l'absence de ma mère pour exciter les rebelles. On disait beaucoup d'autres choses encore. Des choses vraiment sales contre moi. J'ai donc quitté Mugongomanga pour venir étudier à la capitale, chez mon oncle. Mais je ne m'entendais pas avec sa femme. Elle me reprochait les mêmes choses que ceux de Mugongomanga. Et elle me maltraitait. J'ai alors dû quitter la maison. Actuellement je vis seule.

10. LE MARIAGE

Le jour du mariage de Kaniosha. Tous les personnages qu'on a vus défiler (et bien d'autres encore) sont présents. Les Recluses portent un masque.
On assiste à un rituel syncrétique fait de citations de différentes cérémonies de mariage.
L'assistance semble ne pas s'intéresser à la cérémonie ; les « mariés » et le prêtre donnent l'impression de se trouver au milieu d'un souk.
Si bien que le public n'entend pas ce que dit le prêtre aux « mariés » ; il constate simplement les différentes étapes du rituel.

Oui, bien sûr.

Mais ça dépend.

Qu'est-ce qu'il ne faut pas entendre !

Moi je dis, il faudra juger l'arbre.

Ma casserole, quand est-ce que tu me la rends, ma casserole ?

Je ne voudrais pas paraître désobligeante, parce que ce n'est ni le lieu ni le moment pour parler de ces choses-là, mais puisque depuis des semaines tu m'évites…

Je suis très émue, j'accouche bientôt.

Ma casserole, je te l'ai prêtée, je ne te l'ai pas donnée.

Ce prêtre, il porte malheur ; aussitôt qu'il te marie, aussitôt tu divorces.

Et ta petite Kadija, l'école, ça s'arrange ?

C'était déjà lui pour mon mariage, et tu as vu le résultat ?

Oh, m'en parlez pas…

Ce n'est quand même pas moi qui étais sur le terrain à la place des joueurs !

L'autre jour, elle me dit, maman si tu m'aimes vraiment, sors-moi de là, ça me donne la migraine.

Ah monsieur le juge, je suis heureuse de vous rencontrer.

L'école, ça lui donne la migraine ?

Je suis très émue, j'accouche bientôt.

Tout ça c'est politique.

Qu'est-ce que tu peux contre ça ? Si ça lui donne la migraine, ça lui donne la migraine.

Et cet arbre qui refuse de tomber.

Être assise là toute la journée à rien faire qu'à réfléchir, moi ça me fait des épines dans la tête, voilà ce qu'elle me dit.

Ce prêtre, s'il me pince les fesses comme la dernière fois, je lui file une claque devant tout le monde.

Ah, à toi aussi ?

Je ne vais quand même pas attendre que les épines lui sortent partout de la tête ?

Vous voyez cette femme là-bas, elle a ma casserole et elle ne veut pas me la rendre.

Au train où vont les choses, il n'y a que cela à faire : intenter un procès à l'arbre.

Ça manque de fleurs au mariage de Kaniosha.

Politique, je vous dis.

S'il refuse de tomber, il faut le juger.

Oui, bien sûr.

Mais ça dépend.

Qu'est-ce qu'il ne faut pas entendre !

C'est son équipe qui perd, mais c'est moi qui la prends, la gifle.

Je suis très émue, j'accouche bientôt.

C'est moi-même, par charité chrétienne, monsieur le juge, qui lui ai prêté cette casserole.

Les fleurs, je trouve qu'il n'y a pas assez de fleurs.

Alors je l'ai sortie de l'école.

Parce qu'elle a beaucoup d'enfants mais elle n'a qu'une petite casserole.

Le foot ça les rend dingues.

Peut-être, mais ce n'est pas une raison.

Déjà quand on n'a pas une grande casserole on ne fait pas beaucoup d'enfants.

Évidemment que c'est ton avis, mais ce n'est pas le sujet.

Quand elle est venue, les deux mains sur la poitrine, me supplier de lui prêter ma casserole, j'avoue, monsieur le juge, que je n'ai pas hésité.

On aurait dû venir avec beaucoup plus de fleurs.

Ne l'écoutez pas, elle est folle.

Elle ne veut plus y aller, elle ne veut plus y aller ! Qu'y puis-je ?

Par les temps qui courent, une bonne grande casserole, c'est précieux.

Je suis très émue, j'accouche bientôt.

Ils ont donc commencé à creuser un tunnel pour atteindre les racines.

Je n'étais pas l'équipe d'en face tout de même !

Quand je vous disais que c'était politique.

C'est par pure charité chrétienne, parce que je suis chrétienne monsieur le juge, que je lui ai prêté ma casserole.

Il m'a giflée parce que son équipe de football a perdu.

Oui, bien sûr.

Mais ça dépend.

Qu'est-ce qu'il ne faut pas entendre !

Une migraine.

Prêtée, pas donnée.

Politique.

Football.

L'arbre.

Tout ça manque de fleurs.

Je suis très émue, j'accouche bientôt.

Allons bon.

Oui, bien sûr.

Mais ça dépend.

Qu'est-ce qu'il ne faut pas entendre !

Exaspéré, le prêtre se met à hurler.

… Et si quelqu'un dans cette assemblée à une putain de chose à dire contre ce mariage à la con, qu'il le dise maintenant ou qu'il ferme sa gueule à jamais !

Soudain tous se taisent. Pour la première fois ils se tournent vers le prêtre et les « mariés », visiblement offusqués d'avoir été dérangés dans leurs conversations.
À nouveau, on entend la voix du prêtre, mais cette fois en off ; c'est une voix douce, apaisante, presque suave, comme une annonce d'aéroport ou de supermarché. D'ailleurs le prêtre sourit de façon malicieuse pendant que passe l'« annonce ».

Si quelqu'un a une raison de s'opposer à ce mariage, qu'il parle maintenant ou qu'il se taise à jamais.

Silence. Kaniosha prend la parole.

Moi.
J'ai quelque chose à te dire, Nzéyimana.
Je veux pour une fois me tenir propre devant toi.
Je ne suis pas celle que tu crois.
Pendant la guerre,
mon frère a tué un chef du camp d'en face.
Ses hommes sont venus chez nous.
C'est un des nôtres,
un voisin,
qui les a conduits jusqu'à notre maison.
Ils ne venaient pas, disaient-ils,
pour venger leur chef,
mais pour récupérer sa montre que
mon frère lui avait retirée après sa mort.
Une montre qui, paraît-il, valait beaucoup d'argent.
Mais ils ne voulaient reprendre la montre que
pour des raisons sentimentales.
Je savais à quoi je m'exposais,
mais j'ai refusé de leur dire
où se cachait mon frère.
Ils m'ont dit,

de gré ou de force tu vas parler.
On a déjà fait parler plus coriace que toi.
Déshabille-toi.
Et ils ont fait,
les uns après les autres,
ce qu'ils étaient venus faire en réalité.
J'ai eu très mal,
dans mon âme plus que dans ma chair,
et j'ai fini par leur dire où était mon frère.
Mais ils ont continué,
jusqu'au dernier.
Voilà la femme que
tu t'apprêtais à épouser, Nzéyimana.
Aujourd'hui je fais partie du groupe de
ces femmes recluses en elles-mêmes que
celui qui est parti et qui n'est jamais arrivé
essaie de guérir par la parole.
Ça non plus, tu ne le savais pas…
Tu ne dis rien ?…
Ce silence incrédule t'honore Nzéyimana,
mais c'est la vérité.
Il y a même quelqu'un présent ici
qui peut en témoigner.
Car la personne qui a conduit les soldats d'en face chez moi,
jusque dans ma chair,
le voisin,
celui qui a assisté à tout,
du premier soldat jusqu'au dernier,
c'est monsieur le juge…

Ne l'écoutez pas, cette femme est folle.

Je suis folle en effet.
Autre chose, Nzéyimana, que
je ne t'ai pas dite,
monsieur le juge m'a menacée de tout te révéler…

Ne l'écoutez pas, cette femme est folle.

J'avais tellement peur de te perdre…
Que ce mariage n'ait jamais lieu…

Ces dernières semaines,
pour acheter son silence,
contre ma chair et contre mon esprit,
je l'ai rejoint dans son lit.

Ne l'écoutez pas, cette femme est folle.

À chaque fois qu'il l'a exigé.

Elle ment! On ne s'est même jamais dit, bonjour, bonsoir… Comment veux-tu qu'on te croie après ces monceaux de mensonges? C'est ma parole de juge contre ta parole de menteuse!

Non, c'est votre parole contre votre parole, monsieur le juge.

Kaniosha soulève sa robe de mariée et retire, coincé entre la jarretière et sa cuisse, le petit magnétophone que lui avait remis Agnèsi. Elle appuie sur un bouton.

Tu veux vraiment que je lui dise tout? Tu veux que je lui dise combien ils étaient? Comment leurs râles de jouissance étouffaient tes cris de douleur?

Monsieur le juge, vous m'avez demandé de vous écouter parler, je vous ai écouté parler ; vous m'avez demandé de vous apporter vos plats préférés, je vous ai apporté vos plats préférés ; vous m'avez demandé de coucher avec vous, au milieu du salon, dans la cuisine ou dans votre lit, j'ai couché avec vous, monsieur le juge…

Au son, vient s'ajouter l'image. Sur l'écran apparaissent Kaniosha et le juge dans le même espace que celui du tableau « Nuage mauvais ».
De toute l'assemblée, seul Nzéyimana se retourne vers l'écran. Apparemment, les autres ne se sont pas rendu compte de l'irruption des images sur l'écran.

Niyonkuru… Je t'en supplie Kaniosha… appelle-moi Niyonkuru…

Monsieur le juge…

Niyonkuru… Niyonkuru ou gifle-moi…
Elle le gifle.
Encore.
Elle le gifle.

Encore.
Elle le gifle.
Encore.
Elle le gifle.
Oh, ma Kaniosha…

Jamais je n'ai désobéi. Je crois que j'ai assez payé, monsieur le juge, et je voudrais, c'est une prière monsieur, je voudrais que ça s'arrête, monsieur le juge…

Dis-moi de faire le cheval.

Faites le cheval, monsieur le juge.

Le voisin hennit puis s'ébroue comme un cheval.

J'ai assez payé, et je suis venue vous implorer de me laisser ma liberté. Parce que bientôt c'est mon mariage, et je voudrais arriver devant mon homme un peu moins abîmée, un peu moins dégoûtée de moi-même.

Tu veux vraiment que je lui dise tout ? Tu veux que je lui dise combien ils étaient ? Comment leurs râles de jouissance étouffaient tes cris de douleur ? Tu veux que je lui raconte dans quelles circonstances ta virginité a été saccagée ? Tu veux que je lui révèle qu'il s'apprête à épouser une femme souillée ?…

C'est une manipulation, tabarnac ! C'est un tissu de n'importe quoi ! Vous allez entendre parler de moi !

Bacécéro en tenue militaire intervient.

C'est toi qui vas entendre parler de moi…

Je ne vous permets pas… De quel droit me tutoyez-vous ?

Bacécéro gifle le juge.

N'aggrave pas ton cas, petite enflure… Alors comme ça, tu adores les gifles ?
Il le gifle de nouveau.
Encore ?…

Non, par pitié…

Allez, avance, gibier de potence!…

Tiens, «gibier de potence», encore une chose qu'on ne dit jamais ici…

Pourquoi est-ce que tu dis ça?

Trop long à expliquer…

De toute façon je m'en fiche! Allez, grouille-toi, crotte de nez! C'est la cour martiale qui te pend au nez. Pour intelligence avec l'ennemi…

Je vous en supplie, ne me laissez pas aux mains de cet hurluberlu…
Ah, «hurluberlu»…

Allez avance, fils de pute de fils de pute…

Bacécéro traîne le juge hors du plateau.

Voilà ce que je suis, Nzéyimana.
Et si jusqu'ici je me suis refusée à toi,
ce n'était pas dans le but de préserver
je ne sais quelle virginité,
mais parce que je me sentais sale,
sale non pas à cause de ce qui m'est arrivé,
mais par le mensonge dans lequel je me suis emmurée.

Les autres Recluses viennent se mettre sur la même ligne que les « mariés ».
L'une après l'autre, elles ôtent leur masque et déclinent leur identité, la date
ou les dates de leur traumatisme.
Pendant ce temps, Kaniosha regarde autour d'elle, semblant chercher quel-
qu'un du regard.

Il n'est pas venu?…

Celui qui est parti et qui n'est jamais arrivé?

Oui, je ne le vois pas.

Il est reparti. Hier nuit. Précipitamment.

Des bruits ont couru que les autorités s'estimaient suffisamment incommodées par les réunions qu'il organisait avec certaines femmes.

Ils se sont mis dans la tête que celui qui est parti et qui n'est jamais arrivé fomentait en réalité un complot.

Alors cette nuit, il nous a dit rapidement au revoir, et il est parti.

Il nous a dit de te dire que quoi qu'il advienne, il était fier de toi. De nous toutes.

Il reviendra ?

Il a dit qu'il espère ne pas avoir à revenir.

Tu as sa bénédiction…

Alors ce mariage ?

Je t'aime Kaniosha, et j'envie ton courage. Et la force de ton amour. Et ton sens du sacrifice. Je te remercie d'avoir accepté d'endurer tout cela pour nous deux. Kaniosha, veux-tu m'accepter comme époux ?

Kaniosha se jette dans les bras de Nzéyimana. Longue étreinte sous les youyous des Recluses.

Les bagues !…

Les « mariés » échangent les anneaux.
Pendant que Kaniosha et Nzéyimana échangent les anneaux sous les youyous, Wanabaké gifle violemment le prêtre.

J'avais prévenu ! Si jamais il me pince encore les fesses, celui-là, je lui file une claque. J'avais prévenu !

Hilarité générale pendant que le prêtre sort furieux.

Le baiser !…

Noir pendant que sur l'écran apparaissent en plan américain Kaniosha et Nzéyimana en train de s'embrasser. Suivent en gros plan les images des Recluses comme pendant le générique de fin de certains films où les personnages principaux réapparaissent «décontextualisés» ; elles sourient toutes. Puis le mot :

FIN

(New York - Paris, février 2009.)

Les Recluses *est une commande du Théâtre Varia de Bruxelles.*

Le spectacle a été créé en kirundi le 22 mai 2009 à Bujumbura, au Burundi, dans une mise en scène de Denis Mpunga, avec : Funny Akimana, Domina Habonimana, Julienne Iciteretse, Nadine Irakoze, Purcheline Matega, Fabiola Mukezamfura, Solange Ndakoraniwe, Noëlla Nzeyimana, Yvonne Ndizeye, Joséphine Nibigira, Josélyne Nkundwanabake. Scénographie, costumes, éclairages : Pierre Heydorff. Coordination du projet : Valérie Kurevic. Assistanat à la mise en scène : Robin Frédéric, Diogène Ntarindwa, Carole Karemera. Encadrement pédagogique : Carole Karemera. Traduction en kirundi sous la direction de : Maurice Manzuya, Diogène Ntarindwa. Surtitrage : Fiona Irakoze. Tournée au Rwanda, en Belgique, à la Réunion, et, en swahili, en République démocratique du Congo.

Lors de la création, les séquences « Projections 1, 2, 3 et 4 », étaient des petits films documentaires qui n'excédaient pas trois minutes. Sur un écran était projetée l'image d'une femme en plan moyen qui témoignait en kirundi de « ce qu'elle a subi ». Ces témoignages étaient authentiques.

KOFFI KWAHULÉ

Né à Abengourou (Côte d'Ivoire). Acteur, metteur en scène, dramaturge et romancier, il s'est formé à l'Institut national des arts d'Abidjan, à l'école de la rue Blanche et à l'université de Paris-III - Sorbonne nouvelle où il a obtenu un doctorat d'études théâtrales. Il est l'auteur d'une vingtaine de pièces, publiées aux éditions Lansman, Actes Sud-Papiers, Acoria et Théâtrales, traduites dans plusieurs langues et créées en Europe, en Afrique et en Amérique du Nord.

Ses œuvres ont fait l'objet de maintes mises en scène dont, parmi les plus récentes : *Big Shoot,* mise en jeu par Michèle Guigon avec Denis Lavant (Lavoir moderne parisien, 2008), par Kristian Frédric (Théâtre Denise-Pelletier, Montréal, 2005) et par Merel Van Nes (festival Verse Waar de Breda, Pays-Bas, 2005) ; *Misterioso-119,* créée par Alex Lorette (Théâtre Marni de Bruxelles, 2007) ; *Il nous faut l'Amérique!*, créée par Sidiki Bakaba (Palais de la Culture d'Abidjan, 2005) ; *La Dame du café d'en face*, créée par Johan Heldenberg (Zuidpool Theater d'Anvers, 2004) ; *Bintou,* mise en scène par Vincent Goethals (Théâtre 140 de Bruxelles, 2003) ; *P'tite souillure,* mise en scène par Eva Salemannova (DISK de Prague, 2003) ; *Le Masque boîteux,* créée par Souleymane Koly et Alougbine Dine (Glob'Théâtre de Bordeaux, 2002) ; *Bintou,* mise en scène par Sacha Wares (The Arcola Theatre, Londres, 2002) ; *Jaz,* créée par Daniela Giordano (Teatro del Fontanone de Rome, 2000).

Il a reçu le grand prix U Tam'si, Textes et dramaturgies du monde en 1992 pour *Cette vieille magie noire*, le prix SACD-RFI 1994 pour *La Dame du café d'en face*, le prix Unesco du Masa en 1999 pour *Village fou ou les Déconnards*, et le Grand Prix Ahmadou Kourouma 2006 pour son roman *Babyface*, publié aux éditions Gallimard.

Ses textes traversent le corps, donnent à voir de la chair et offrent une dimension sensuelle, souvent accompagnée d'humour. Musicale, proche du rythme tantôt haletant, tantôt saccadé du jazz, son écriture s'insinue dans les bas-fonds d'une humanité toujours mise en question en empruntant la voie du détour, de la métaphore ou au contraire celle de la satire et du fantasme burlesque.

éditions **THEATRALES**

Textes contemporains

ABELE (Inga), *Les Cerfs noirs*
ALLIO (Paul), *Euphoric Poubelle/La Haute Colline*
AURIOL (Marine), *Zig et More/L'Angare (Chroniques du Grand Mouvement, 1 et 2)*
AURIOL (Marine), *Urbi (Chroniques du Grand Mouvement, chapitre 3)*
AURIOL (Marine), *Les Passagers/Fragments neufs (Chroniques du Grand Mouvement, chapitres 4 et 5)*
AZAMA (Michel), *Aztèques*
AZAMA (Michel), *Croisades*
AZAMA (Michel), *Iphigénie ou le Péché des dieux*
AZAMA (Michel), *Le Sas/Bled/Vie et Mort de Pier Paolo Pasolini*
AZAMA (Michel), *Les Deux Terres d'Akhenaton ou l'Invention de Dieu*
AZAMA (Michel), *Zoo de nuit*
AZAMA (Michel), *Saintes familles (Amours fous/Saint amour/Anges du chaos)*
AZZOPARDI (Clare), *L'Interdit sous le lit*
BACCAR (Jalila), *Araberlin*
BACCAR (Jalila), *Junun*
BARKER (Howard), *Tableau d'une exécution/Les Possibilités*
BARKER (Howard), *Blessures au visage/La Douzième Bataille d'Isonzo*
BARKER (Howard), *La Griffe/L'Amour d'un brave type*
BARKER (Howard), *Gertrude (Le Cri)/Le Cas Blanche-Neige*
BARKER (Howard), *Treize objets/Animaux en paradis*
BARKER (Howard), *Judith/Vania*
BARKER (Howard), *La Cène/Faux pas*
BARRY (Sebastian), *Le Régisseur de la chrétienté*
BATLLE (Carles), *Tentation*
BATLLE (Carles), *Transit*
BÉCHET (Claire), *Suites en ré mineur/Trois soliloques*
BÉKÉS (Pál), *Sous les yeux des femmes garde-côtes*
BELBEL (Sergi), *Caresses/Lit nuptial*
BELBEL (Sergi), *Après la pluie*
BELBEL (Sergi), *Le Temps de Planck/Le Sang*
BELBEL (Sergi), *Sans fil*
BENET I JORNET (Josep Maria), *Désir/Fugaces*
BESNEHARD (Daniel), *Passagères/Épreuves*
BESNEHARD (Daniel), *Malá strana/Neige et Sables/Arromanches*
BESNEHARD (Daniel), *Internat/L'Ourse blanche*
BESNEHARD (Daniel), *L'Enfant d'Obock/Le Petit Maroc*
BESNEHARD (Daniel), *Hudson River, un désir d'exil/Charlotte F…*
BLONDEL (Christine), *William Pig ou le Cochon qui avait lu Shakespeare*

BONAL (Denise), *Honorée par un petit monument*
BONAL (Denise), *Portrait de famille*
BONAL (Denise), *Passions et Prairie/Légère en août*
BONAL (Denise), *Turbulences et petits détails/J'ai joué à la marelle, figure-toi...*
BONAL (Denise), *Les Pas perdus*
BONAL (Denise), *De dimanche en dimanche*
BONAL (Denise), *Les tortues viennent toutes seules*
BORISSOVA (Yana), *Petite pièce pour chambre d'enfant*
BOUCHARD (Michel Marc), *Les Muses orphelines*
BOUCHARD (Michel Marc), *Le Chemin des passes dangereuses*
BOUCHARD (Michel Marc), *Sous le regard des mouches/Le Voyage du couronnement*
BOUCHARD (Michel Marc), *Les Manuscrits du déluge*
BOUCHARD (Michel Marc), *Des yeux de verre*
BOURGEAT (François), *Djurdjura*
BRUSATI (Franco), *La Femme sur le lit*
CALDWELL (Lucy), *Feuilles*
CANNET (Jean-Pierre), *Des manteaux avec personne dedans*
CANNET (Jean-Pierre), *La Grande Faim dans les arbres*
CANNET (Jean-Pierre), *Little Boy (La passion)*
CANNET (Jean-Pierre), *Chelsea Hotel*
CARLETON (Dominique), *Une voix pour toutes*
CARR (Marina), *La Mai*
CARVALHO (Mário de), *Vive l'harmonie !*
CASTAN (Bruno), *La Conquête du pôle Sud par la face nord*
CELESTINI (Ascanio), *Fabbrica*
CERNIAUSKAITÉ (Laura Sintija), *Lucie patine*
CÉSAIRE (Michèle), *La Nef*
CHARTREUX (Bernard), *Rester partir (Une passion sous les tropiques)*
CHARTREUX (Bernard), *Dernières nouvelles de la peste*
CHARTREUX (Bernard), *Un homme pressé*
CHARTREUX (Bernard), *Cité des oiseaux (d'après Aristophane)*
CHARTREUX (Bernard), *Violences à Vichy II*
CHARTREUX (Bernard), *Hélène & Fred*
CHOUAKI (Aziz), *El Maestro/Les Oranges*
CHOUAKI (Aziz), *Une virée*
COLLECTIF, *Cinq pièces d'Amérique latine*
COLLECTIF, *Embouteillage (32 pièces automobiles)*
COLLECTIF, *Petites pièces d'auteurs*
COLLECTIF, *Petites pièces d'auteurs 2*
COLLECTIF, *Québec/France : auteurs associés*
COLLECTIF, *Théâtre hongrois contemporain*
COLLECTIF, *25 petites pièces d'auteurs*
COLLECTIF, *Les 120 Voyages du Fou*

COLLECTIF (Michel Azama, Koffi Kwahulé, Philippe Minyana), *Le Sas, Jaz, André (Monologues pour femmes)*
COLLECTIF (Roland Fichet, Israël Horovitz, Christian Rullier), *La Chute de l'ange rebelle, Le Rescapé, C'est à dire (Monologues pour hommes)*
COPI, *L'Ombre de Venceslao*
CORMANN (Enzo), *Berlin, ton danseur est la mort*
CORTÁZAR (Julio), *Rien pour Pehuajó/Adieu Robinson*
CYR (Marc-Antoine), *Le désert avance*
DALPÉ (Jean-Marc), *Le Chien*
DE FILIPPO (Eduardo), *Samedi dimanche et lundi*
DE FILIPPO (Eduardo), *Le Haut-de-forme/Douleur sous clé*
DELARUE (Claude), *Le Silence des neiges*
DEMARCY (Richard), *L'Étranger dans la maison*
DENES (Max), *Jakob le menteur*
DOUTRELIGNE (Louise), *Quand Speedoux s'endort/Qui est Lucie Syn' ?*
DOUTRELIGNE (Louise), *La Bancale se balance*
DU CHAXEL (Françoise), *Des traces d'absence sur le chemin*
DURRINGER (Xavier), *Bal-trap/Une envie de tuer sur le bout de la langue*
DURRINGER (Xavier), *Chroniques des jours entiers, des nuits entières*
DURRINGER (Xavier), *Une petite entaille*
DURRINGER (Xavier), *Surfeurs*
DURRINGER (Xavier), *La Quille/22.34*
DURRINGER (Xavier), *La Nuit à l'envers/Ex-voto*
DURRINGER (Xavier), *La Promise*
DURRINGER (Xavier), *Chroniques 2, quoi dire de plus du coq ?*
DURRINGER (Xavier), *Histoires d'hommes*
DURRINGER (Xavier), *Les Déplacés*
EISLER (Hanns), *Johann Faustus*
FADEL (Youssef), *Je traverse une forêt noire*
FARGEAU (Jean-Pol), *Hôtel de l'homme sauvage*
FARGEAU (Jean-Pol), *Voyager*
FARGEAU (Jean-Pol), *Ici-bas*
FICHET (Roland), *De la paille pour mémoire/Le Lit*
FICHET (Roland), *Plage de la Libération*
FICHET (Roland), *Terres promises*
FICHET (Roland), *La Chute de l'ange rebelle*
FICHET (Roland), *Suzanne*
FICHET (Roland), *Petites comédies rurales*
FICHET (Roland), *Quoi l'amour*
FICHET (Roland), *Animal*
FICHET (Roland), *Micropièces*
FISCHEROVA (Daniela), *Fabula*

FRIEDERICH (Alexandre), *Journée mondiale de la fin (L'homme qui attendait l'homme qui a inventé l'homme/Didadactures/Programme de gestion colère et enlisement)*
FRIEL (Brian), *Danser à Lughnasa*
FUGARD (Athol), *Hello and Goodbye*
FÜST (Milan), *Les Malheureux*
GAUTRÉ (Alain), *La Chapelle-en-Brie*
GEORGÌOU (Andònis), *Mon lave-linge bien-aimé*
GERRITSEN (Esther), *Le Jour, et la nuit, et le jour, après la mort*
GHAZALI (Ahmed), *Le Mouton et la Baleine*
GLOWACKI (Janusz), *Antigone à New York*
GREIG (David), *Le Dernier Message du cosmonaute à la femme qu'il aima un jour dans l'ex-Union soviétique*
GREENBERG (Tamir), *Hébron*
GROUPOV, *Rwanda 94*
HACKS (Peter), *Conversation chez les Stein sur monsieur de Goethe absent*
HÄNDL (Klaus), *Le Charme obscur d'un continent*
HELMINGER (Guy), *Venezuela*
HILLING (Anja), *Bulbus*
HILLING (Anja), *Anges*
HOROVITZ (Israël), *Le Baiser de la veuve/Le Premier*
HOROVITZ (Israël), *L'Indien cherche le Bronx/Le Rescapé*
HOROVITZ (Israël), *Dix pièces courtes*
HOROVITZ (Israël), *Stand de tir*
HOROVITZ (Israël), *Quand Marie est partie/L'Amour dans une usine de poissons*
HOROVITZ (Israël), *John a disparu et autres pièces courtes*
HOROVITZ (Israël), *Péchés maternels et autres pièces courtes*
ISRAËL-LE PELLETIER (Marc), *Sarah et Lorraine*
ISRAËL-LE PELLETIER (Marc), *Le Globe*
KEENE (Daniel), *Silence complice/Terminus*
KEENE (Daniel), *Pièces courtes 1*
KEENE (Daniel), *La Marche de l'architecte/Les Paroles*
KEENE (Daniel), *Cinq Hommes/Moitié-moitié*
KEENE (Daniel), *Avis aux intéressés*
KEENE (Daniel), *Pièces courtes 2*
KELLY (Dennis), *Débris*
KHEMIRI (Jonas Hassen), *Invasion !*
KÖBELI (Markus), *Peepshow dans les Alpes*
KONATÉ (Moussa), *Khasso*
KWAHULÉ (Koffi), *La Dame du café d'en face/Jaz*
KWAHULÉ (Koffi), *Big shoot/P'tite souillure*
KWAHULÉ (Koffi), *Le Masque boiteux (Histoires de soldats)*
KWAHULÉ (Koffi), *Misterioso-119, Blue-S-cat*
KWAHULÉ (Koffi), *Brasserie*

KWAHULÉ (Koffi), *Les Recluses*
LA CHENELIÈRE (Evelyne de), *Au bout du fil/Bashir Lazhar*
LAÏK (Madeleine), *La Passerelle/Les Voyageurs/Didi Bonhomme*
LANDRAIN (Francine), *Lulu/Love/Life*
LAPLACE (Yves), *Sarcasme ou Un homme exemplaire*
LAPLACE (Yves), *Staël ou la Communauté des esprits*
LAPLACE (Yves), *Feu Voltaire/Maison commune*
LAPLACE (Yves), *Candide, théâtre*
LAVRÍK (Silvester), *Catherine*
LEBEAU (Yves), *Le Chant de la baleine abandonnée*
LEBEAU (Yves), *Les Noces*
LEBEAU (Yves), *Dessin d'une aube à l'encre noire*
LEBEAU (Yves), *À la folie*
LEMAHIEU (Daniel), *Entre chien et loup/Viols*
LEVEY (Sylvain), *Enfants de la middle class (Ô ciel, la procréation est plus aisée que l'éducation/Juliette [suite et fin trop précoce]/Journal de la middle class occidentale)*
LEVEY (Sylvain), *Pour rire pour passer le temps/Petites pauses poétiques*
LEVIN (Hanokh), *Théâtre choisi I - Comédies (Yaacobi et Leidental/Kroum l'Ectoplasme/Une laborieuse entreprise)*
LEVIN (Hanokh), *Théâtre choisi II - Pièces mythologiques (Les Souffrances de Job/L'enfant rêve/Ceux qui marchent dans l'obscurité)*
LEVIN (Hanokh), *Théâtre choisi III - Pièces politiques (Shitz/Les Femmes de Troie/Meurtre/Satires)*
LEVIN (Hanokh), *Théâtre choisi IV - Comédies grinçantes (Le Soldat ventre-creux/Funérailles d'hiver/Sur les valises)*
LEVIN (Hanokh), *Théâtre choisi V - Comédies crues (Tout le monde veut vivre/Yakich et Poupatchée/La Putain de l'Ohio)*
LEVIN (Hanokh), *Que d'espoir !*
LEVIN (Hanokh), *Douce vengeance et autres sketches*
LEVIN (Hanokh), *Les Insatiables*
LIDDELL (Angélica), *Et les poissons partirent combattre les hommes*
LOLLIKE (Christian), *Chef-d'œuvre*
McGUINNESS (Frank), *Quelqu'un pour veiller sur moi*
MAGNAN (Jean), *Algérie 54-62/Et pourtant ce silence ne pouvait être vide…*
MAGNIN (Jean-Daniel), *Le Monde plat*
MANCEC (Ronan), *Je viens je suis venu*
MARTIAL (Alain-Kamal), *Les Veuves*
MAVRITSAKIS (Yannis), *Le Point aveugle*
MINYANA (Philippe), *Fin d'été à Baccarat*
MINYANA (Philippe), *Ruines romaines/Quatuor*
MINYANA (Philippe), *Chambres/Inventaires/André*
MINYANA (Philippe), *Les Guerriers/Volcan/Où vas-tu, Jérémie ?*
MINYANA (Philippe), *Les Guerriers/Volcan/Chambres*

MINYANA (Philippe), *Où vas-tu, Jérémie ?*
MINYANA (Philippe), *Drames brefs (1)*
MINYANA (Philippe), *Drames brefs (2)*
MINYANA (Philippe), *La Maison des morts*
MINYANA (Philippe), *Anne-Laure et les Fantômes*
MINYANA (Philippe), *Habitations/Pièces*
MINYANA (Philippe), *Suite 1/Suite 2/Suite 3*
MINYANA (Philippe), *Le Couloir*
MINYANA (Philippe), *La Maison des morts (Version scénique)*
MINYANA (Philippe), *Histoire de Roberta/Ça va*
MORATON (Gilles), *Ma main droite*
MOTTON (Gregory), *Ambulance/Reviens à toi (encore)*
MOTTON (Gregory), *Chicken/Brien le fainéant*
MOTTON (Gregory), *Chat et Souris (moutons)/Loué soit le progrès*
MOTTON (Gregory), *L'Île de Dieu/Un monologue*
MOTTON (Gregory), *Gengis parmi les Pygmées*
MUELLER (Harald), *Le Radeau des morts*
MÜLLER (Heiner), *La Comédie des femmes*
MÜLLER (Heiner), *L'Opéra du dragon*
MÜLLER (Heiner), *L'homme qui casse les salaires/La Construction/Tracteur*
MURPHY (Thomas), *Bailegangaire*
NADAS (Peter), *Rencontre*
NADAS (Peter), *Ménage*
NAJIB (Taher), *À portée de crachat*
NEVES (Abel), *Au-delà les étoiles sont notre maison*
NICOÏDSKI (Clarisse), *Ann Boleyn*
NORDMANN (Jean-Gabriel), *La mer est trop loin*
O'ROWE (Mark), *Terminus Dublin*
PARKER (Stewart), *Pentecôte*
PAVLOVSKY (Eduardo), *Potestad/La Mort de Marguerite Duras*
PELTOLA (Sirkku), *Le Cheval finlandais*
PENHALL (Joe), *Voix secrètes*
PICAULT (Adeline), *Étroits petits tours (Et Elsa boit/Un homme à la ligne/Émoi au bord du monde)*
PILLET (Françoise), *Métro Bastille/Anciennement chez Louise*
PRIN (Claude), *Erzebeth*
PRIN (Claude), *Césars*
RADITCHKOV (Yordan), *Janvier/Lazaritsa*
RENAUDE (Noëlle), *Divertissements touristiques/L'Entre-deux/Rose, la nuit australienne/8*
RENAUDE (Noëlle), *Le Renard du nord*
RENAUDE (Noëlle), *Der Fuchs des Nordens/Le Renard du nord*
RENAUDE (Noëlle), *Courtes pièces*

RENAUDE (Noëlle), *Ma Solange, comment t'écrire mon désastre, Alex Roux (texte intégral)*
RENAUDE (Noëlle), *Fiction d'hiver/Madame Ka*
RENAUDE (Noëlle), *À tous ceux qui/La Comédie de Saint-Étienne/Le Renard du nord*
RENAUDE (Noëlle), *Promenades*
RENAUDE (Noëlle), *Des tulipes/Ceux qui partent à l'aventure*
RENAUDE (Noëlle), *Une belle journée/Topographies*
RENAULT (Jean-Pierre), *Agathe*
RENAULT (Jean-Pierre), *Désert, désert*
RENAULT (Jean-Pierre), *Les Solitaires*
REYNAUD (Yves), *Monologues de Paul (Apnée ou le Dernier des militants/Regarde les femmes passer)*
REYNAUD (Yves), *Événements regrettables*
REYNAUD (Yves), *Les Guerres froides*
REYNAUD (Yves), *La Tentation d'Antoine*
REYNAUD (Yves), *Marie, Marie (Les modernes sont fatigués)/La Dent noire*
REYNAUD (Yves), *Une vie de chien/Baptême*
RIVERA (José), *Marisol/La Tectonique des nuages*
ROZEWICZ (Tadeusz), *Le Piège*
RULLIER (Christian), *Le Fils/Attentat meurtrier à Paris*
RULLIER (Christian), *Annabelle et Zina/Il marche*
RULLIER (Christian), *Football (et autres réflexions)/C'est à dire*
RULLIER (Christian), *Annabelle et Zina/Le Fils*
RULLIER (Christian), *Les Monologues : Il marche/C'est à dire/Il joue*
SAALBACH (Astrid), *Le Bout du monde*
SANTANELLI (Manlio), *Issue de secours/L'Aberration des étoiles fixes*
SARRAZAC (Jean-Pierre), *Le Mariage des morts/L'Enfant-Roi*
SARRAZAC (Jean-Pierre), *Les Inséparables/La Passion du jardinier*
SARRAZAC (Jean-Pierre), *Harriet*
SCHLEGEL (Jean-Pierre), *Le Vent et le Mendiant/J'exige le silence dans la bulle/Ces hommes du Grand Nord*
SCHWAJDA (György), *L'Hymne*
SCHWAJDA (György), *Le Miracle*
SCHWAJDA (György), *Notre père*
SONY LABOU TANSI, *Paroles inédites*
SONY LABOU TANSI, *Cercueil de luxe/La Peau cassée*
SPIRO (György), *Tête de poulet*
STASIUK (Andrzej), *Les barbares sont arrivés*
STEFAN (Peca), *The Sunshine Play*
STOCK (James), *Nuit bleue au cœur de l'Ouest*
TABORI (George), *Le Courage de ma mère/Weisman et Copperface*
TABORI (George), *Les Variations Goldberg*
TABORI (George), *La Ballade de l'escalope viennoise/Jubilé*

TAMISIER (Sabine), *Sad Lisa*
TASNÁDI (István), *Phèdre 2005*
TÉREY (János), *Hagen ou l'Hymne à la haine*
TORDJMANN (Charles), *Le Chantier*
TROLLE (Lothar), *Les 81 minutes de Mademoiselle A./Berlin fin du monde*
TROLLE (Lothar), *Berlin fin du monde/Fin du monde Berlin II/Les 81 minutes de Mademoiselle A.*
VADI (Urmas), *Le Vrai Elvis*
VALENTIN (Karl), *Le Bastringue et autres sketches*
VALENTIN (Karl), *La Sortie au théâtre et autres textes*
VALENTIN (Karl), *Vols en piqué dans la salle*
VALENTIN (Karl), *Le Grand Feu d'artifice et autres sketches*
VALENTIN (Karl), *Les Chevaliers pillards devant Munich et autres textes*
VANLUCHENE (Filip), *Risquons-tout*
VIEIRA MENDES (José Maria), *Ma femme*
WALLACE (Naomi), *Au cœur de l'Amérique*
WALLACE (Naomi), *Une puce, épargnez-la*
WILLEMAERS (Jean-Pierre), *C'est un dur métier que l'exil*
ZAHND (René), *L'Île morte/Les Hauts Territoires*
ZELENKA (Petr), *Petites histoires de la folie ordinaire*

Collection « Théâtrales Jeunesse »

BLUTSCH (Hervé), *Méhari et Adrien/Gzion*
BOUCHARD (Michel Marc), *Histoire de l'oie*
CAGNARD (Jean), *L'Entonnoir*
CANNET (Jean-Pierre), *La Petite Danube*
CASTAN (Bruno), *Belle des eaux*
CASTAN (Bruno), *Coup de bleu*
CASTAN (Bruno), *Neige écarlate*
CASTAN (Bruno), *L'Enfant sauvage*
CHEVROLET (Gérald), *Miche et Drate*
COLLECTIF, *Court au théâtre 1 (8 petites pièces pour enfants)*
COLLECTIF, *Court au théâtre 2 (5 petites pièces pour enfants)*
COLLECTIF, *Théâtre en court 1 (12 petites pièces pour adolescents)*
COLLECTIF, *Théâtre en court 2 (3 pièces à dire, à jouer)*
COLLECTIF, *Théâtre en court 3 (4 pièces à dire, à jouer)*
COLLECTIF, *Théâtre en court 4 (6 pièces courtes pour adolescents)*
DU CHAXEL (Françoise), *L'Été des mangeurs d'étoiles*
JAUBERTIE (Stéphane), *Jojo au bord du monde*
JAUBERTIE (Stéphane), *Yaël Tautavel*
JAUBERTIE (Stéphane), *Une chenille dans le cœur*
KEENE (Daniel), *L'Apprenti*

LEBEAU (Suzanne), *L'Ogrelet*
LEBEAU (Suzanne), *Salvador*
LEBEAU (Suzanne), *Une lune entre deux maisons*
LEBEAU (Suzanne), *Petit Pierre*
LEBEAU (Suzanne), *Souliers de sable*
LEBEAU (Suzanne), *Le bruit des os qui craquent*
LEBEAU (Suzanne), *Contes d'enfants réels*
LEBEAU (Yves), *C'est toi qui dis, c'est toi qui l'es (tomes 1 et 2)*
LEBEAU (Yves), *Du temps que les arbres parlaient*
LEVEY (Sylvain), *Ouasmok ?*
LEVEY (Sylvain), *Alice pour le moment*
LISCANO (Carlos), *Ma famille*
OSTEN (Suzanne) et LYSANDER (Per), *Les Enfants de Médée*
PAQUET (Dominique), *Les escargots vont au ciel*
PAQUET (Dominique), *Son parfum d'avalanche*
PICAULT (Adeline), *Étroits petits tours*
PILLET (Françoise), *Molène*
PILLET (Françoise) et SILVA (Joël da), *Émile et Angèle, correspondance*
RICHARD (Dominique), *Le Journal de Grosse Patate*
RICHARD (Dominique), *Les Saisons de Rosemarie*
RICHARD (Dominique), *Hubert au miroir*
RICHARD (Dominique), *Le Garçon de passage*
SERRES (Karin), *Un tigre dans le crâne*
SHÖN (Roland), *Les Ananimots/Grigris*
VALENTIN (Karl), *Sketches*
VALENTIN (Karl), *Au théâtre*

Textes classiques

BÜCHNER (Georg), *Woyzeck*
BÜCHNER (Georg), *La Mort de Danton*
BÜCHNER (Georg), *Léonce et Léna*
CALDERÓN DE LA BARCA (Pedro), *Le Peintre de son déshonneur/Le Magicien prodigieux*
CALDERÓN DE LA BARCA (Pedro), *Le Prince constant*
CALDERÓN DE LA BARCA (Pedro), *Le Grand Théâtre du monde*
GARCÍA LORCA (Federico), *La Savetière prodigieuse/Mademoiselle Rose*
HAUPTMANN (Gerhart), *La Peau de castor*
HAUPTMANN (Gerhart), *Âmes solitaires*
HOLBERG (Ludvig), *Henrich et Pernille/Erasmus Montanus*
HOLBERG (Ludvig), *Jeppe du Mont/Don Ranudo de Colibrados*
IBSEN (Henrik), *Peer Gynt*
IBSEN (Henrik), *Hedda Gabler*
IBSEN (Henrik), *Empereur et Galiléen*

Von KLEIST (Heinrich), *La Bataille d'Arminius*
Von KLEIST (Heinrich), *La Cruche cassée*
MOLNÁR (Ferenc), *Liliom*
ROSTAND (Edmond), *Faust de Goethe*
SHAKESPEARE (William), *La Nuit des rois*
SHAKESPEARE (William), *Cymbeline*
SHAKESPEARE (William), *Le Marchand de Venise*
SHAKESPEARE (William), *Mesure pour mesure*
SHAKESPEARE (William), *Beaucoup de bruit pour rien*
SHAKESPEARE (William), *Le Roi Lear*
SHAKESPEARE (William), *La Tempête*
SHAKESPEARE (William), *Le Songe d'une nuit d'été*
SIGURJONSSON (Johann), *Les Proscrits*
SOPHOCLE, *Œdipe tyran*
SOPHOCLE, *Œdipe à Colone*
WEDEKIND (Frank), *Théâtre complet, tome I*
WEDEKIND (Frank), *Théâtre complet, tome II*
WEDEKIND (Frank), *Théâtre complet, tome III*
WEDEKIND (Frank), *Théâtre complet, tome IV*
WEDEKIND (Frank), *Théâtre complet, tome V*
WEDEKIND (Frank), *Théâtre complet, tome VI*
WEDEKIND (Frank), *Théâtre complet, tome VII*
WILLIAMS (Tennessee), *La Ménagerie de verre*

Arts du spectacle

AZAMA (Michel), *De Godot à Zucco, Anthologie des auteurs dramatiques 1950-2000*, coédition Scérén-CNDP. Vol. 1 : *Continuité et renouvellements* ; vol. 2 : *Récits de vie, le moi et l'intime* ; vol. 3 : *Le Bruit du monde*
BERNANOCE (Marie), *À la découverte de cent et une pièces – Répertoire critique du théâtre contemporain pour la jeunesse*, coédition Scérén-CRDP de Grenoble
BONVOISIN (Guillemette), *Saluts*
BRETONNIÈRE (Bernard), *Petit dictionnaire de théâtre*
CHALAYE (Sylvie), *Afrique noire et dramaturgies contemporaines : Le Syndrome Frankenstein*
CLÉMENT (Catherine), *La Pègre, la Peste et les Dieux*
Collectif/ANGEL-PEREZ (Élisabeth), *Howard Barker et le théâtre de la Catastrophe*
Collectif/BANU (Georges) dir., *Les Cités du théâtre d'art*
Collectif/CORVIN (Michel) dir., *Philippe Minyana, ou la Parole visible*
Collectif/LACHANA (Evanghélia), *Choisir et jouer les textes dramatiques – Un guide-annuaire*, coédition Centre national du Théâtre
Collectif/LECUCQ (Evelyne), *Les Fondamentaux de la manipulation : convergences – Carnets de la marionnette 1*, coédition Themaa

Collectif/LECUCQ (Evelyne), *Pédagogie et Formation – Carnets de la marionnette 2*, coédition Themaa

Collectif/PENCHENAT (Jean-Claude), *Mission d'artistes : les centres dramatiques de 1946 à nos jours*

Collectif/SARRAZAC (Jean-Pierre), *Les Pouvoirs du théâtre, essais pour Bernard Dort*

CORVIN Michel, *Anthologie critique des auteurs dramatiques européens (1945-2000)*, coédition Scérén-CNDP

DESCAMPS (Jérôme), *La Secrète Architecture du paragraphe, rencontre avec Philippe Minyana* (vidéo)

DUSIGNE (Jean-François), *Le Théâtre d'art, aventure européenne du XXe siècle*

DUSIGNE (Jean-François), *Du théâtre d'art à l'art du théâtre. Anthologie des textes fondateurs*

DUSIGNE (Jean-François), *L'Acteur naissant (La passion du jeu)*, coédition Scérén-CNDP

FÉRAL (Josette), *Dresser un monument à l'éphémère, rencontres avec Ariane Mnouchkine*

FÉRAL (Josette), *Trajectoires du soleil. Autour d'Ariane Mnouchkine*

JACOB (Pascal) et RAYNAUD DE LAGE (Christophe), *Extravangaza ! (Histoires du cirque américain)*

JAQUES (Brigitte), REGNAULT (François), *Le Théâtre de Pandora*

KWAHULÉ (Koffi), MOUËLLIC (Gilles), *Frères de son (Koffi Kwahulé et le jazz, entretiens)*

MÜLLER (Heiner), KLUGE (Alexander), *Esprit, pouvoir et castration (Entretiens inédits 1990-1994)*

MÜLLER (Heiner), KLUGE (Alexander), *Profession arpenteur (Entretiens nouvelle série 1993-1995)*

RAYNAUD DE LAGE (Christophe), *Intérieur rue (10 ans de théâtre de rue)*

RYNGAERT (Jean-Pierre) et SERMON (Julie), *Le Personnage théâtral contemporain : décomposition, recomposition*

SCHECHNER (Richard), *Performance (Expérimentation et théorie du théâtre aux USA)*

TEMKINE (Raymonde), *Le Théâtre en l'état*

VINCENT (Jean-Pierre), CHARTREUX (Bernard), *Mise en scène des* Fourberies de Scapin *de Molière*, coédition Nanterre Amandiers

YAARI (Nurit), *Le Théâtre de Hanokh Levin (Ensemble à l'ombre des canons)*

ACHEVÉ D'IMPRIMER EN
JANVIER 2010 SUR PAPIER ISSU DE
LA GESTION DURABLE DES FORÊTS
(CERTIFIÉ FSC) SUR LES PRESSES
DE LA NOUVELLE IMPRIMERIE
LABALLERY À CLAMECY (58)
LABELLISÉE IMPRIM'VERT®. MISE
EN PAGES RÉALISÉE PAR LES
ÉDITIONS THÉÂTRALES À
MONTREUIL (93).

DÉPÔT LÉGAL : JANVIER 2010
NUMÉRO D'IMPRIMEUR : 912050
IMPRIMÉ EN FRANCE